JN034541

精神医療と法

新しい精神保健法について

平野龍一著

有斐閣

はしがき

わたくしは、以前、厚生省の公衆衛生審議会の精神衛生部会の委員をしていたことがあったが、東京大学をやめてから、またその委員になった。ちょうど、精神衛生法の改正が議題に上っているときだったので、その手伝いをすることになった。何分、難しい問題なので、わたくしにも分からないことが多かったが、他の委員の方々、厚生省の担当職員の方々、そして日頃からこの問題に強い関心を持っておられた精神医学者や法律家の方々の努力で、なんとか答申をまとめることができ、その線に沿った法改正が実現された。

その間、いろいろな機会に、主として法律的な面から、改正すべき点あるいは改正された点についてのわたくしの意見を述べる機会を与えられた。その報告や講演を集めたのが本書である。第一のものは、「「法と精神医療」学会」（一九八六年三月）での報告であり、第二のものは、「精神衛生法改正国際フォーラム」（一九八七年一月）での報告である。第三のものは、自治体病院協議会の研修会（一九八七年八月）での講演であり、第四のものは、日本精神病院協会の機関誌（一九八八年一七巻七号）に寄稿したものである。

いずれも本格的な論文というには程遠い未熟なものであるが、あえてこのような形でまとめることにしたのは、今回の精神保健法は、精神医療の考え方にもまたその実際にも大きな変革を意図した改正であるにもかかわらず、何分、早急にまとめられ、十分な時間的余裕を置かずに実施されたので、現場の方々には、改正の趣旨についても、また実際上のやりかたについても、必ずしも十分な理解がゆきわたっていないのではないかとも思われたからである。もちろん、本書に収めた論考はわたくし個人の考えであって、当然異論もありうる。しかしこれら文集が、いくらかでも、今回の改正法の趣旨の理解を助け、また現場で苦労しておられる方々の参考になればと考え、一応まとめてみることにした。

精神保健法は、五年後に再び改正されることになっている。その改正論議のためにも、なにほどかの参考になれば幸いである。

一九八八年九月

平野龍一

◆目　次◆

I　精神医療と法

――精神衛生法改正の背景――

現在わが国では、精神衛生法の改正が議題に上り、すでに改正案が国会に提出されている。しかしこれは当面の改正であり、今回の法改正後も検討はさらに続けられるであろう。それだけでなく、今回の改正だけをとってみても、その根底にはかなり深い問題が横たわっている。それで、今回の改正案に立ち入るまえに、その背景について若干の考察を加えてみたいと思う。[(1)] 改正案については、別の機会（後出のII）に述べることにする。

一

この約二〇年、すなわち六〇年代の後半から、刑事司法の領域でも精神医療の領域でも、大きな考え方の変革があった。犯罪学では、とくにアメリカで、レイブリング理論が流行した。それは単純化した形でいえば、犯罪というものは、社会が犯罪というレッテルを貼るから犯罪になるのであって、実体があるわけではない。社会のなかで逸脱行為だというレッテルを貼られることによって犯罪だということになり、これに刑罰が加えられることによって二次的なレッテル貼りがなされる、それで犯罪をなくすためには、このレッテル貼りをなくすべきであるとされ、極端になると、刑事司法制度を廃止せよというアボリショニストの議論ともなった。精神医学の領域でも同じようなことがあったように思われる。サス等[2]によって代表されるいわゆる反精神医学は、精神障害というのは単なるレッテルであって、実体のあるものではないとしたといっていいであろう。しかし、現在では、レイブリング理論は少なくともその極端な形のものはすでに過去のものだともいわれている。反精神医学もおそらく同様であろう。

ただ、これらの議論は、極端な部分、いわば氷山の海上に現われた部分にすぎないのであって、海面下にある根幹的な部分にも大きな変革があった。刑事司法の領域では、犯罪者はこれを改善し更生させるべきだという、いわゆる「トリートメント・モデル」に対する批判が強くなり、犯罪者は処罰ないし隔離すべきだという「ジャスティス・モデル」ないし「リーガル・モデル」が主張され、不定期刑や仮釈放、さらにはプロベイションも廃止されあるいは縮小された。その根底には、犯罪の原因を個人的な事由に求める考えが批判され、改善の処置が実効があがっていないとされたこともあるが、他方では、改善更生をはかるのは本人の利益でもあるから、そのために本人の自由を拘束してよいとするいわゆるパターナリズム、そして自由の拘束を行政機関ないし専門家の判断に委ねる裁量主義が排斥されたことにもよる。精神医療の領域でも、精神障害の原因を、個人の生理的な事由ではなく、社会的な事由、とくに人間関係の歪みに求める見解が強くなった。そしてまた、本人の病気をなおすためにその自由を拘束するというパターナリズム、そしてそれを医者の判断に委ねるという裁量主義に対する批判が強くなった。ここでも、パターナリスティク・モデルないしメディカル・モデルから、リーガル・モデルへという大きな転換があったといってよい。もっとも、精神医学の場合は、向精神薬の発達その他の事情のために、精神障害が治る、少なくとも寛解させられるようになったところに、犯罪のばあいと大きな違いがあることに注意しなければならない。

この変革は、有意義なものであった。精神医療の領域ではとくにそうだったといえるであろう。精神障害者は、これまでは十分の医療も与えられないで、精神病院に閉じ込められていたが、一方では「治療を受ける権利」が強調されるとともに、「最少自由制限の原則」が強調され、精神医療は、強制入院による病院医療から自由入院、通院医療さらには地域医療へと大きく転回していった。しかし、これらの転回には陰の部分もなかったわけではない。刑事司法の領域では、かえって刑務所に収容される者が増えその期間も長くなってきた。精神医療の領域では、患者が医療から遠ざけられ十分な医療が与えられなくなった面もある。

二

精神障害者を精神病院から解放するという方向に最もラディカルに突き進んだのは、イタリーではなかったかと思われる。[3] イタリーでは、一九七八年に、ラディカル・パーティによる国民投票の要求に対処するため議会は卒然として精神衛生法を廃止し、精神病院が廃止された。これは、精神障害は社会的抑圧の所産であり、精神病院はまさにその抑圧の中核であるというフィロソフィーにもとづくものだといわれている。そして、精神病者も他の病人と同じく、治療は任意的な形で一般病院で行われ、施設外治療が原則だとされた。しかしこの法律が施行されて数年の実際をみると、この法律の目的はあまり達成されていないともいわれている。地域の医療体制が整備されないため、医療の水準が低下し、入院を必要とする精神障害者がかえって増えてきた。しかも病院での精神医療が低下し、かつすぐに出されるので、患者は回転ドア式に病院に入ったり出たりすることにもなり、また刑事施設その他の病院以外の施設に収容される者も増えた。それで現在、この法律の改正が大きな論議のまとになっているということである。

アメリカでも、イタリーほどではないにしても、似たような状況にあるように思われる。アメリカでは、一連の最高裁判所の判決で精神医療の改革が推進されたが、ドナルドソン判決のように、精神障害ということだけでは強制入院を正当化することはできないとする判決、あるいはいわゆる「最少自由制限の原則」を強調した判決も出された。これらの一連の判決によって非施設化が行われ、入院は減少し、一九五五年には入院患者は約五六万人であったのが、一九八一年には約一四万人になったといわれている。ストーンもいうように、この改革は必要なものであった。しかし新たな問題も起こってきた。これらの判決を、下級審の判決によっては、ポリス・パワーを理由とするのでなければ、強制入院はできないというように解したのである。精神障害者を強制的に入院させる根拠には、二つのものがありうる。一つは、他人に害を加えるおそれがあるということであり、ポリス・パワーによるものと呼ばれる。いま一つは、本人が自分に害をあたえあるいはその健康が悪化するのを防ぐためのものである。パレンス・パトリー、あるいは、パターナリズムにもとづくものといってよい。最高裁判所の一連の判決は、一般的なパターナリズム排斥の風潮とあいまって、第二の理由による強制入院を排斥するものであるかのように下級審では受け取られた。またそのように法律を改正した州もいくつかある。このようにポリス・パワーで強制的に入院させるということになると、その手続も刑事訴訟に似た厳格な手続が要求されることになる。入院理由を手続の始めに告知しなければならない、陪審を求める権利がある、弁護人選任権がある、黙秘権がある、合理的な疑いをいれない程度に危険性が立証されなければならない、等々。危険性の予測は困難であるから、結局これまでにどういう行為をしたかが、ちょうど犯罪行為を立証するかのような形で問題にされることになる。それで、ストーンがいうように、入院手続の刑事手続化、精神科医の警察官化という現象がおこった。そして、精神病院に入院させることが困難であるため、刑事施設その他の施設に入れられる者あるいは入院させられずに街をさまよう者も増えてきたといわれている。[4]

そこでアメリカ精神医学協会は、ストーンを中心として、「模範法典」を作った。[5] この法典はいわゆるリーガル・モデルとメディカル・モデルとを調和させようとしたものだと称しているが、アメリカ的リーガリズムの範囲内で、できるかぎりメディカリズムないしパターナリズムを持ち込もうとしたものだといってよいであろう。

この法典によると、第一にまず緊急診断のためという形ではあるが、強制的な入院が医師の診断にもとづき、裁判所の許可なしに認められる。期間は一四日間であり、五日以上になったときは、患者は裁判所に審査の請求をすることができる。正規の入院としては、任意入院のほか、裁判所の審理にもとづき、三〇日の強制入院が認められる。その強制入院の事由は、重い精神障害の結果として、(a)自己を傷つけまたは自己の身体もしくは精神の悪化を招くおそれがあること、または、(b)他人を害するおそれがあること、である。「他害のおそれ」を全く排除してはいない。この入院は、裁判の許可によりさらに六〇日延長でき、さらに一八〇日ずつ延長できる。ストーンは、治療のためには、この一〇四日で十分であり、これを入院期間の絶対的な制限とすべきだとしたが、委員会の多数は、一八〇日ずつ無期限に延長できるとする案を採用した。[6]

アメリカではこのように、強くリーガル・モデルが支配しているが、イギリスはこれに比べるといくらかモデストであるように見える。[7] イギリスの一九五九年の精神衛生法は、裁判所によらない強制入院を認めた点で画期的なものであった。裁判所が関与するのは、退院制限命令を出すときだけである。この法は西欧の人たちを驚かせた。強制入院のためには裁判所の許可が必要だというのは西欧社会のいわば常識だったからである。これは開放的な治療に関してもイギリスが先駆的であったこととも関連していると思われるが、その根底にメディカル・パターナリズムがあったことは否定できない。それでこの法律のもとにおける精神医療に対しては、とくに患者の人権という面からさまざまな批判が加えられた。フーコー等の批判は別としても、ゴスティン[8]を法的指導者とする「全国精神医療協会（MIND）」の批判は鋭いものであった。そこで、政府もいわゆるバトラー委員会を作って調査検討させ、一九七五年にその報告書が公表された。[9] さらに追い討ちをかけたのは、ヨーロッパ人権裁判所の判決である。同裁判所は、いわゆるイギリスについてのX事件及びオランダについてのウィンターウェルプ事件で、「強制的に入院させられた者は、その当否についてコートの審査を受ける権利がある」「不定期または長期間精神医療施設に収容されている者は、定期的間隔でその収容の適法性についてコートの審査を受ける権利がある」とし、このような制度を設けていないのは、ヨーロッパ人権規約（五条四項）違反だとしたのである。[10] これらの要請に応じるため、イギリスの精神衛生法は一九八三年に改正された。

しかしこの法律も一九五九年の法律の基本的な精神は変えていない。それは、裁判所の判断ではなく、医師の判断によって強制的な入院を行うという点である。すなわち、七二時間の緊急観察入院と二八日の観察入院は、要件がいくらか厳格にはなったが維持されている。治療入院の期間は以前は一二月で、二年ごとに更新でき、その各々の期間中に一回審査機関の審査を受けることができるとしていたのを、期間は六月、一年ごとに更新でき、審査請求は年に二回できる、と改めるなど、いくつかの点に改正を加えたが、治療入院も医師の判断によってなされ、裁判所の許可を必要としない。要件として、精神障害のため、患者の健康または安全のために必要な場合だけでなく他人を保護するために必要な場合も含まれているが、いずれも医師の判断（後二者については、二名の指定精神医）だけで入院させるのである。

またヨーロッパ人権裁判所が要求した審査も、裁判所ではなく、医師、法律家、一般人で構成される精神保健審査会（Mental Health Review Tribunal）で行わせることにした。人権規約にいうコートとは、独立の第三者機関であればよく、必ずしも裁判所である必要はないとされているからである。そこでは人権に配慮しつつも、メディカルな面がかなり強く維持されているといっていいであろう。

いくらか図式化していうと、精神障害者の病院収容については、「入れやすく出やすい」「入れやすく出にくい」「入れにくく出やすい」「入れにくく出にくい」という四つのタイプがあるといえよう。強制的な自由の拘束はできるだけ避けるという観点からすると、「入れにくく出やすい」のが一番望ましいように見える。しかし精神医療に関しては、入口をあまり狭く法律的に絞ると、医療が与えられなくなるおそれがある。病院の中を開放的にするとともに、ある程度入れやすくし、他方では入院が長期化しないように、すなわち出やすくする（そのためには法的に審査あるいは制限するだけでなく、いわゆる「受け皿」を整備する必要が大きいであろう）ように配慮することが重要であるように思われる。

三

病院の中での患者の取扱いについても、いろいろと問題があるが、ここでは簡単に述べるにとどめる。その一は、いわゆる「治療を受ける権利」「治療を受けない権利」である。自分で入院したほうがいいかどうかを判断できないとして強制的に入院させられたからといって、どのような治療をうけるかについても、「全体として無能力（global incompetence）」だとはいえないとされていることに注意する必要がある。模範法典もイギリスの精神衛生法も、どのような治療方法については患者の同意が必要かについて規定を設けている。

いま一つは、患者の行動の制限の問題である。アメリカの州法には、細かく患者の権利を規定したものもあるが、模範法典は、手紙の検閲はしない旨の規定のほかは、一般的な規定を置くにとどめ、細部は病院の合理的な規制に委ねている。これも、あまり細かく法的に規制するのは医療上望ましくないと考えたのであろう。

精神障害者の強制的な入院については、やはり犯罪行為をした精神障害者に対する治療処分ないし保安処分の問題を避けて通るわけにはいかない。

四

まず責任能力の問題について述べよう。

アメリカでは、一九五五年にワシントンＤＣの連邦高等裁判所がドゥラム（Durham）判決というものを出した。行為が精神障害の「プロダクト」（product）である場合には責任能力がないという基準を認めたのである。この基準については、「プロダクト」とは何なのかはっきりしないという批判もあったし、また精神障害のプロダクトであるかどうかというようないわばメディカルな基準でいいのか、責任能力の有無は法的な判断であって、その基準も規範的なものでなければならないのではないかという批判もなされた。しかし実際上大きな問題になったのは精神障害とは何かという問題であった。それはとくにブロッカー事件をめぐって問題になった。ブロッカーは、いわゆる社会病質（sociopath）だとされたが、鑑定をしたセント・エリザベス病院の精神医は、社会病質は精神障害ではないという鑑定意見を出したので、責任能力ありということになり、有罪になった。ところがその後まもなく、同じような事件で、セント・エリザベス病院の医者は見解を変え、社会病質も精神障害だとしたので、被告人は無罪になった。それでバーガー（後の連邦最高裁判所長官）は怒った。精神科の医師が見解を変えることによって刑事司法が動かされるのは不当だとしたのである。それだけでなく、社会病質すなわち性格異常のプロダクトであれば責任能力がないということになると、凶悪な犯罪のかなり多くが責任無能力になってしまうことになる。それやこれやでドゥラム・ルールは放棄され、アメリカ法律家協会の模範刑法典が提案していた基準（すなわちドイツやわが国で採用されているものとほぼ同じもので、是非を弁別する能力またはこれに従って行動する能力が（実質的に）欠けているときは責任能力が無いとする基準）が多くの州で採用されるようになった。そこにこんどはヒンクリー事件がおこった。レーガン大統領を暗殺しようとしたヒンクリーが責任無能力として、無罪になったのである。そこで、責任能力についてもっと厳しい態度を採るべきだという世論が強くなった。そしていわゆるマックノートン・ルールが採用されるようになった。このルールでは、是非の弁別ができない場合だけが責任無能力であって、これに従って行動できるかどうかは問わないことになる。意思的な要素は判断しにくい。抵抗不能の衝動であったのか、抵抗しなかっただけのことなのか、判別は困難だというのであろう。もっともマックノートン・ルールは、「認識する」能力としており、知的な能力だけを問題にしているように見えるので、この点は「評価する（appreciate）能力」と改めて、価値判断的なものもいくらか採り込もうとしているので、修正されたマックノートン・ルールとも呼ばれる。アメリカ精神医学会もこのルールの採用を提案している。[11]そして、一九八四年の連邦法もこれを採用するようになった。[12]州によっては、さらにすすんで、責任無能力という概念を全く否定したところもある。そこでは、犯罪事実の認識、すなわちメンス・リアがあれば有罪だとする。「精神障害により無罪」という判決ではなく、「有罪であるが精神に障害がある（guilty but insane）」という判決をすることになる。もっとも、この制度を採用しているのは、まだ僅かの州であり、アメリカで一般的なものだということはできない。[13]

このような変化は、一方では精神障害者でも人を殺す等した以上処罰せよ、という一般の人々の厳しい態度の反映でもある。ニクソン大統領は責任無能力制度の廃止を提案し、レーガン大統領もまた責任無能力制度の廃止を提案したが、これらは、このような意見を代表したものといえるであろう。しかし他方では、最近の一部の精神医学の傾向を反映したものでもあることに注意する必要があるように思われる。さきに述べた反精神医学の立場からすれば、サスも主張するように、精神障害による責任無能力ということは否定されることになる。そこまでゆかなくとも、精神障害者も責任のある者として取り扱うことがむしろその人を人間として尊重するゆえんであり、責任を問うことさえできない者だと決めつけるのは、精神障害者に対する差別であり、治療という観点からみても適当でない、という考えは、いわゆる新しい精神医学を信奉する人の間に多かれ少なかれみられるように思われる。

精神障害者の行為は了解不可能だから責任能力がないとする考え方もある。しかし、最近では精神障害者とくに精神分裂者の行為も了解可能だという意見が、精神医学者のなかには有力であるように思われる。精神分裂者は言葉でコミュニケイトすることがむずかしいから了解不可能のように見えるが、時間をかけ十分のラポールがとれるならば了解可能だということであろう。そうなると、精神分裂者にも責任能力があるということになるであろう。わが国の学者のなかには、このような「深い了解」と日常的な「浅い了解」とに分け、「浅い了解」ができないときは責任無能力だとする人もある。一つの見解ではあるが、はたして「深い了解」と「浅い了解」とが分けられるものであろうか。

わが国では、行為が幻覚あるいは妄想と結びついていたかどうかで、責任能力があるかどうかが判断されることが多い。しかしこの点についてさきに述べたケンブリッジ・シンポジウムで、ケンブリッジ大学のウォーカーが責任能力について興味のある報告をしている。彼も責任無能力否定論である。彼は、精神障害者の行為は自由意思がない、必然的なものだから責任が問えないといわれることが多いが、それはまちがいだとする。妄想もせいぜいなぜそういう行為をしたのか、そういう行為をすることも可能であった、あるいは可能性が大きかった、という「説明」になるにすぎないとするのである。たとえば、妻が姦通しているという妄想にもとづいて妻を殺したとき、あるいはAを殺せという天の声が聞こえたのでAを殺したとき、しかもそれが正しいことだと思ったときでも、その心理的プロセスは、必然的なものではなく、そういう場合には、人を殺すこともありうるというだけのことではないかとするのである。

私は、二〇年くらいまえにアメリカで勉強したときに、いわゆるダイナミック・サイカャトリーを少しかじり、その後もいくらか精神医学に興味をもってきているが、その頃からダイナミック・サイカャトリーのゆきつく先は、あるいは責任無能力の否定ではなかろうかという感じをもっていた。最近はそういう疑問が一段と強くなっているようにも思われる。すなわち、当該行為だけを問題にすれば、責任能力の有無は判定不可能、少なくともそれに近いものではなかろうかという疑問である。それで、責任無能力という制度を維持するのであるならば、その人が精神障害であるということに視点をおくほかないのではないかという気がしている。このような考え方は、ダイナミック以前のクラシックな考え方だという批判を受けるであろうが、しかし、バトラー委員会の報告書（刑法学者のウィリアムズもそのメンバーの一人である）も、「重大な精神障害」があるときは責任無能力とするという案を提案している。

そしてどのような場合が「重大な精神障害」であるかの判断基準を明らかにしようとしている。たしかにこの委員会自身もいうように、この案がそのままの形で法律になることはないであろう。法律家は少なくとも表面上は、責任能力を規範的な言葉でとらえざるをえないからである。しかしその言葉の裏にあるもの、あるいは実際に適用される基準は、バトラー委員会のいうものに近いものではなかろうかとも思われるのである。もちろん、精神分裂即責任無能力というつもりはない。精神分裂の概念自体かなり広狭のあるものであるし（現在精神分裂と診断されているもののうち五〇パーセント以上がそうではないという見解もある）、病状にも程度の差があることもいうまでもない。

この問題についてさらにわたくしも考えてゆきたいと思っているが、責任能力は「規範的なものである」とし法律的な基準をのべるだけでことが解決すると思っているかのようにみえる人たちにも、もっと考えてもらいたいと思う。

五

精神障害と犯罪との関係でもう一つの困難な問題は、精神障害者の将来の危険性を予測できるか、という点である。この危険性という概念は、一般の強制入院の場合も「他害のおそれ」として問題になるが、特別入院や退院制限命令のときは、中心的な要件になる。そして、はたして精神障害者の危険性の有無が判断できるものなのかは、激しく争われてきた。この点についての研究もいくつか出されている。フラウドの報告書はとくに有名であるが、[14]彼はケンブリッジ・シンポジウムの報告で次のように述べている。[15]

危険性の判断可能性について極めて懐疑的であるとともに、危険であることが確実であるとき、はじめてその人の自由を拘束することができるとする者もある。たとえば、ドゥウォーキンなどは、この問題も「権利」の問題として解決すべきだとし、それで関係のない人の漠然とした意見（external preference）、すなわち一般の人の、精神障害者は危険だという漠然とした意見で決すべきではないことを強調する。さらに、いわゆる「第一世代」と呼ばれる人々は、危険性があるかないかは一般的な判断であるから、例えば「そのような者」は九〇パーセント人を傷つける危険性があると判断されたとしても、「その者」は残りの一〇パーセントに属するかもしれないから、その人の自由を制限する根拠にはなりえないとする。これに対して、いわゆる「第二世代」の人々は、権利の問題であることは認めるし、external preference を排斥することには変わりはないが、精神障害者の自由と現実に被害を受けるおそれのある人の自由との比較考量の問題だとするのである。たとえばAがB、C、Dを傷つけるおそれが約八〇パーセントあるとすると、Aが放置されたら、B、C、Dは自分を護るためにみずからその自由を制限しなければならなくなるであろう。その比較考量の結果としてAの権利が制限されることもありうるとするのである。そして、ある程度の短い期間について、環境がほぼ同じであるという条件のもとであるならば、かなりの程度に精神障害者の危険性の判断ができることもあるとする。

モナハンも、危険性の予測について、第一世代と第二世代があるとする。第一世代は、予測はおよそ不可能だとしたが、第二世代はこれにかなりの修正を加える。第一世代は、予測はその対象である個人の本質的な自由を侵害するとするが、第二世代は、予測にもとづく政策は、これの代替的政策との比較で評価しなければならないとする。第三に、第一世代は、予測は、精神医療の患者を援助する役割を破壊し、精神医を社会統制の機関としてしまうとするが、第二世代は、精神医の社会保護の役割は最小限であるべきではあるが、その役割も否定はできないとするのである。

もちろん、問題はまだ残っている。とくに、第二世代の見解にしたがった場合でも、入院させるかどうかという判断の場合は、入院させなければ、現在の環境が続くのであるから、ある程度危険性の判断ができるかもしれないが、退院させるときは、病院内と帰住先とでは環境が変わるのであるから、判断はかなりむずかしくなるであろう。

六

無罪となった精神障害者に対する処遇の問題に移ろう。アメリカン・バー・アソシェイションの「刑事司法についての基準委員会」は、一九八四年に、「刑事司法精神衛生基準」を発表した[16]。これはわが国の学者とも親しいジョージ教授などが中心になって作られたものである。この基準も、責任能力については、修正されたマックノートン・ルールを採用している。しかも、検察官が合理的な疑いを容れない程度に、責任能力があることを立証しなければならない。そして、生命または重大な身体傷害を生ぜしめまたはその危険を生ぜしめた行為について責任能力なしとして無罪になったときは「特別収容」手続をとるべきだとしている。この場合他人に重大な身体障害を与える実質的な危険があることが、「明白で説得的(clear and convincing)」に立証されることが必要である（一九八五年の連邦法では、被告人の方が、他人の身体に害を加えるおそれがないこと、または他人の財産に重大な侵害を加えるおそれがないことを「明白で説得的」なまでに立証しなければならない）。なお、有罪になったときも、当事者の申立てにより、裁判所は行為者を精神医療施設に収容することを命じることができる。

アメリカでは、以前は、刑事手続で無罪になると、あらためて別に民事手続で、強制入院がなされていた。それで刑事手続では精神障害だと主張し、民事手続になるとそうではないと主張するというようなこともあったようである。それで、危険な精神障害者については、無罪判決とともに、入院を命じることができるとする州も出てきた。しかしこれに対して、連邦最高裁判所は、犯罪行為をしたからといって自動的に強制的に入院させるのは、一般の精神障害者の強制入院と平等でなく、憲法違反だとした。これは、有罪か無罪かを判断するための精神鑑定は、行為の時の精神状態についてなされ、しかもとくにアメリカでは許容される証拠もかなり限定されるので、入院治療を必要とするかどうかについて十分診断しないまま、いわば刑罰的に強制入院させることになるのは不当だとしたものであろう。「基準」も自動的な強制入院は認めるべきでなく、入院が必要かどうかを審理する手続をとるべきだとしている。しかし、一般の民事的な強制入院手続と違った「特別入院手続」をとるべきだとするのである。それで、無罪判決後、これに続いて民事的な手続で、入院させる必要があるかどうかを審理することになる。そこでは、刑事手続と同じような手続的保障がある。そして、この手続によって強制的に入院させられた者は、裁判所の許可がなければ退院させることはできない。しかし、収容所内で保安を強化する必要があるかどうかは、個々の被収容者の状態によるのであって、特別収容か一般収容かというカテゴリーによって区別すべきではないとしている。

この基準は、各州がこのような特別収容の制度を「必ず」採用せよとしているところに特色がある。それは、このような釈放に制限をつけた特別収容が、一方では人々の安全感を護れという要求に答えるものであるが、他方では、このような者以外の一般の精神障害者がすべて危険であるかのような受取り方がなされるのを避けるために必要であるとするのである。

イギリスでは、責任無能力の場合は、「責任無能力により無罪」という特別評決がなされる。そして必要があれば一般の入院手続がとられる。しかしマックノートン・ルールがとられているためか、責任無能力とされる場合はほとんどないようである。しかし、一定の重い罪で有罪とされた場合には、裁判所が「入院命令（Hospital Order）」を出すことができる。このばあい、やはり二人の精神医の診断が必要である。一九五九年の法律では、これが終局的な決定であったが、八三年の改正法では、原則として一二週の「一時入院命令」を出すようになっている。この入院命令では、収容する病院を指定することができる。それでほとんどが、「特別病院」に入れられることになる。同時に「公衆を重大な侵害から護る」必要があるときは、期間を定め、あるいは定めないで、「退院制限命令」を出すことができる。退院制限命令が出されると、Home Secretary の許可がなければ、退院させることはできない。もっとも、前に述べたX事件についてのヨーロッパ人権裁判所の判決に沿うため、精神保健審査会に、退院の審査を求めることができるようになっている。

イギリスには四つの特別病院がある。そのなかでブロードムアがもっとも重要なものだといえる。ブロードムアは、創立後すでに一〇〇年になる。はじめは、内務省の管轄下にあったが、後に厚生省の管轄に移され、一般の患者も入れられているが、警備の厳しいいわゆる maximum security の病院である。それで、最近十数年いろいろと批判が加えられた。患者と患者の間が一メートルくらいしかないといわれるほど収容人数が多く、医療が十分に行われていないという点、収容期間が長すぎるという点などである。それで、デルの報告書などにもとづき、地方の病院に、戒護区（security unit）を設け、ブロードムアに入れなくともすむような患者はそちらに入れることにした。また、前記のように定期の審査、申立てによる審査の制度が設けられるようにもなった。このような改革はなされたが、バトラー委員会も、特別病院の廃止は勧告していないし、その後の学者グループの「特別病院の将来」という報告書も、その存続を支持している。[17] やはり、犯罪行為を行った精神障害者のなかに、ある程度強い戒護を必要とし、社会に対して危険な者がいることは否定できない。しかしこのような者を刑務所に収容するのは適当でない。他方戒護の設備やスタッフが十分でない病院に収容すると、病院全体がかえって閉鎖的になり、職員による暴力的な行為が行われかねない。そして、精神障害者全体が危険であるかのような印象をあたえることにもなる。イギリスの一般の精神病院が開放的であるのも、一方にブロードムアがあるからだともいえるであろう。

このように、イギリスではもちろん、アメリカでも責任無能力の範囲が狭くなるばあい、あるいは責任無能力が否定されるばあいにも、必ずしも責任能力者を全部刑務所に入れようという結論になっているわけではない。有罪としてその責任を自覚させ、あるいは一般の人々の感情を満足させることはしても、その後の処遇は、精神病院で行うとされていることに注意する必要がある。

（1） この問題については、一九八三年ケンブリッジ大学で、「Psychiatry, Human Rights and the Law」というシンポジウムがあり、その報告書が、Roth と Bluglass の編集で同名の書として一九八五年に出版されている。本稿はこの報告書に負うところが多い。

（2） 多くの著書があるが、法律雑誌に掲載されたものとしては、Psychiatry, Ethics, and the Criminal Law (58 Col. L. Rev. 183, 1958) がある。これに対する批判として、Stone, Psychiatry Kills: A Critical Evaluation of Dr. Thomas Szasz.

（3） Sarteshi, Cassano, Mauri & Petracca, Psychiatric Care Act of 1978, (Roth & Bluglass, op, cit., p. 32).

（4） Stone, The Social and Medical Consequences of Recent Legal Reforms of Mental Health Law in the U.S.A.: the Criminalization of Mental Disorder, (Roth & Bluglass, op cit., p. 9) なお Psychiatric Abuse and Legal Reform, Two Ways to Make a Bad Situation Worse? 5 Intern. J. of Law and Psychiatry 9 (1982).

（5） Stromberg & Stone, The Model State Law on Civil Commitment of the Mentally Ill, 20 Harvard Journal of Legislation 275 (1983).

（6） 「法と精神医療」に掲載した講演では、ストーンの意見が委員会の意見であったように述べたが訂正する。

（7） イギリスの状況についての要領のいい概観としてBluglass, The Recent Mental Health Act in the United Kingdom: Issues and Perspectives (Roth & Bluglass, op. cit., p. 21).

(8)　ゴースティンの著書・論文は多いが、Gostin, Human Rights, Judicial Review and the Mentally Disordered Offender, Criminal Law Review, 779 (1982).

(9)　Home Office Report of the Committee on Mentally Abnormal Offender, Command 6244 (1975).

(10)　X. v. United Kingdom, Judgement of the European Court of Human Rights, 5 Nov. 1981. Winterwelp Case, Judgement of European Court of Human Rights, 24 Oct. 1979.

(11)　Floud, Dangerousness and Criminal Justice, 22 British Journal of Criminology 213 (1982). これに対する批判として Botoms & Brownswood, The Dangerousness Debate after the Floud Repert, 22 British Journal of Criminology 3 (1982).

(12)　Floud, Dangerousness in Social Perspective, (Roth & Bluglass, op. cit., p. 81).

(13)　Monahan, Prediction of Violent Behavior, Toward a Second Generation of Theory and Policy, 141 American Journal of Psychiatry, 10 (1984).

(14)　American Psychiatric Association Statement on the Insanity Defense, 140 American Journal of Psychiatry, 881 (1983).

(15)　Comprehensive Crime Control Act of 1984, 20. なお、この法は、責任無能力については、被告人が合理的疑いを容れない程度に立証する責任があるとし、責任無能力のときは、単なる無罪判決ではなく、「責任無能力のみによる無罪」という特別評決をすることにしている。

(16) Standing Committee on Association Standards for Criminal Justice, Proposed Criminal Justice Mental Health Standards, 1984.

(17) Royal College of Psychiatrists, Secure Facilities for Psychiatric Patients, A Comprehensive Policy (1980), The Future of the Special Hospitals (1985).

Ⅱ 「精神衛生法」の改正

――とくに精神障害者の人権の保護に関して――

一

一九五〇年に制定された「精神衛生法」のもとにおける日本の精神医療については、ここ数年、国の内外から強い批判が加えられた。その焦点は、精神障害者の人権の保護が十分でないこと、および閉鎖的な入院治療が主になっていることにあった。そこで厚生省は、今年の国会に同法を大幅に改正する法案を提出する予定で目下準備中である。厚生省の公衆衛生審議会の精神衛生部会は、この改正に資するために、一九八六年一二月に、「精神衛生法改正の基本的な方向について」の「中間メモ」(資料参照)を公表した。法の改正は、おおむねこの方向に従って行われるであろう。この「中間メモ」は、まず法改正にあたって採るべき「基本的な考え方」を述べている。これについてはほとんど異論がないであろう。しかし、これにもとづいて「当面改正すべき事項」として掲げられていることがらには、なお種々の問題が残されているように思われる。現在の日本の精神医療は、医師と家族との全面的なパターナリズムにもとづいているといってよいが、上の要綱は必ずしもそれを払拭しきっていない。ただしそれは一概に非難すべきことではないかもしれない。精神医学一般についてもそうであるが、とくに日本のように全体としてあまりリーガリスティックでない社会において、精神医療にどこまでリーガリズムを持ち込むことがいいのかは、大きな問題だからである。

二

はじめに現在の入院制度について、簡単に述べておこう。入院には、措置入院と同意入院とがある。措置入院は、「精神障害のため、自身を傷つけまたは他人に害を及ぼすおそれがある」ことについて二人の精神鑑定医の意見が一致したとき、知事が入院させるものである（二九条）。病院は公立またはあらかじめ指定された私立の病院に限られる。入院の費用は国および都道府県が負担する（三〇条）。同意入院は、保護義務者の同意と一人の医師（精神鑑定医である必要はない）の診断にもとづく入院である（三三条）。明文はないが、自傷他害のおそれがない場合に限ると解されている。入院期間はいずれの場合も無期限であり、同意入院については、定期的な審査は行われない。なお、自由入院も可能であるが、法に明文はない。

三

次に、家族の役割について、同意入院を中心として述べよう。

精神障害者に配偶者があれば当然に、無いときは三等親以内の親族のなかから家庭裁判所が指定した者が、「保護義務者」となる（二〇条）。保護義務者は、「精神障害者に治療を受けさせるとともに、精神障害者が自身を傷つけ又は他人に害を及ぼさないように監督……しなければならない」（二二条一項）。精神障害者を入院させるのも、この「治療を受けさせる」義務の履行としてなされるものだといってよい。ただ医師の指示に従って医療を与えなければならない（二二条三項）にとどまる。他方、精神障害者が他人に害を与えたときは、保護義務者はその損害を賠償する法律上の義務があると解されてきた。もっとも現在はこの義務は法律的な義務ではないという見解も有力である。

この入院についての保護義務者の同意は、患者に代って承諾するもの、すなわち「代諾」であり、その入院は、任意入院だと解されていた。今回の改正にあたって意見を求められた法律学者の中にも、そのような意見を述べた者もあった。そこには、親族は一体であるという親族観と、精神障害者は「全体的に無能力」であるという精神障害者観があったといってよいであろう。

しかし、現在では、このような親族観は理念的にも実際上も維持できなくなっている。親族はむしろ被害者であり、入院させることによって厄介から免れるものであることも多かれ少なかれ事実であり、入院させられた者が親族に対して恨みを持つこともしばしばである。他方、精神障害者が「全体者に無能力」であるという考えももはや維持できない。したがって、同意入院も強制入院の一種だとせざるをえない。「中間メモ」もこのことを認めている。

したがって今回の改正にあたっては、この同意入院の制度を維持するかどうかが一つの問題であった。二人の精神鑑定医の一致した意見による「治療入院」に切り替えるべきだという意見もあった。しかし、同意入院は維持された。それは、一方では、親族が面倒をみるという「伝統的な美風」を維持すべきだという考え、他方では、医師は専ら医療を任務とすべきであって、自由拘束の決定者になるのは適当でない、という考えがあったためではないかと思われる。精神障害者の人権は、「定期的チェックを制度化する」ことによって保護すべきだとされたのである(注・後に治療保護入院に変更された)。

しかし、ごく短い期間ならとにかく、かなり長期の入院を親族の同意で正当化することができるかは疑問である。「定期的なチェック」は入院後早急に行われなければならないであろうし、その内容も、それによって入院継続の当否を十分に検討するものでなければならないであろう。

親族は、退院後の「受け皿」としても、大きな役割が期待されている。現行法は、措置入院患者の退院の場合は、保護義務者に引き取り義務があるとしている(四一条)。今回の「中間メモ」作成の過程では、入院期間の長期化を防ぐために、同意入院の場合も、保護義務者の引き取り義務を規定すべきだという意見もあった。しかし、現実には、引き取って保護する能力や意欲のない親族が多くなってきている。法律で義務を規定しても、この現実を変えることは困難であろう。他方、親族が引き取るべきだという観念が、社会的な保護機関が発達しない一つの原因にもなっている。精神衛生審議会は、一九八六年の七月に、精神障害者の社会復帰、社会参加の促進について、意見を具申したが、今回の「中間メモ」でも、「社会復帰のための施設等の設置についての規定や、社会復帰・社会参加の促進について、国、地方公共団体ならびに民間レベルの積極的な取り組みに関して規定を設ける必要がある」としている。このような施設や活動が現実に促進されることが、精神障害者の人権にとっても緊要なことである。そして、法律にこのような規定を置くことによって「意識の変革」を行うことが必要である。しかし、現在の財政経済事情のもとでは、現実に行われるかどうかについて、必ずしも楽観できないように思われる。

四

措置入院についても、ほとんど変更は加えられていない。

措置入院のような、主としてポリス・パワーによる強制的な入院について、裁判所ではなく、行政機関である知事が決定するということは、西洋的な感覚からすれば、異様なことであるかもしれない。今回の改正にあたって、法律家のなかに裁判所の権限とすべきだという意見もないではなかった。しかし、精神障害者の人権を強調し、精神医療の現状を強く批判してきた精神医学者たちも、「司法の介入」には消極的な人が多かった。裁判所の介入によって医療的な見地が軽視され、保安的な見地が重視されることになるのをおそれたのであろう。しかしまた、医師が決定者になることも好まない。措置入院は、実質的には医師の判断による入院であるが、その責任は知事がとることになるのである。

この措置入院に対しては、検察・警察関係者や一部のマス・メディアから、危険な犯罪行為者が入院させられずに放置され、また早期に退院させられて再び人を傷つけることがあるという批判が加えられてきた。そこで一九四七年に発表された「改正刑法草案」は、精神障害のため責任能力がないとして無罪の判決をしたとき、裁判所は、その者を法務省管轄下の特別の施設への収容を命ずることができるとする規定を設けようとした。しかし、これに対しては、法務省管轄下の施設では、医療が軽視されることになるという批判が強く、この草案は法律にはならなかった。

他方、裁判所が無罪の言い渡しに続いて精神病院への入院命令を出すこと、いわゆるスペシャル・コミットメントを認めることに対しても、病院の側に反対があった。病院が保安施設化することをおそれたのである。今回の「中間メモ」は、この点については積極的な判断を示していない。ただ退院の判断を適正なものにするために、措置入院患者の退院は、指定医の診断にもとづくことが必要だとしただけである。

しかし、無罪とすると何処にも収容されなくなるおそれがあるため、裁判所は責任無能力を厳格に解しているきらいもないでもない。そして有罪となった者はすべて刑務所に収容されるので、刑務所にかなりの数の精神障害者がいることも否定できない事実である。他方、これまでの日本の精神病院は、かなり閉鎖的であったために、暴力的な患者もまだ収容できたが、病院の開放化が進めば、暴力的な、処遇困難な患者の取扱いに困難が増えてくるだろう。一般の病院を開放的なものとするためには、おそらく「特別病院」を作ることを検討する必要があるだろう。日本の精神病院ではスタッフによる患者への暴力的な行為があるといわれているが、それもあるいは、施設およびスタッフの貧弱な私立病院に処遇困難な患者が収容されていることによるのではないかと思われる。この問題の解決は、今回の改正では「残された問題」である。

五

前にも述べたように、日本の精神病院についての批判の一つは、病院が閉鎖的であり、患者の行動の自由の制限が過大に行われているという点である。

現行法も、入院患者については「その医療又は保護に欠くことのできない限度において、その行動について必要な制限を行うことができる」と規定しており（三八条）、制限は最小限にとどめるべきだとしてはいる。しかし、どのような制限が必要かは、ほとんど全く病院管理者の判断に委ねられていたので、過度の制限がなされがちであった。したがって、具体的に制限できる範囲を明確にする必要がある。もっとも、これらの基準をすべて法律に書くことがいいと限らない。むしろ行政的なガイドラインによるほうが適当であるものもある。「中間メモ」は、最も重要である通信の自由については、法律で制限できないと規定すべきだとした（Ⅱ三(4)）。例外的には制限するのが適当な場合もあるのではないか、イギリスでも特別病院では制限できるではないか、という議論もあったが、上のような立場に踏み切ったのである。電話や面会についても、原則として同じような立場がとられることになるであろう。

患者の自由の拘束は、これまで一般職員によって行われることもあり、そのため懲罰的になされることもないではなかった。「中間メモ」は、閉鎖病室に収容することも含めて、一定の自由の制限は指定医の判断によらなければならないことにしようとしている（II三(4)）。もっとも、どの程度まで閉鎖病室を用いるかは、医師によっての考えが違うようであるから、どの程度閉鎖病室の使用が減少するかは、今後の状況を見なければわからない。

どのような治療については患者の同意を必要とするかという問題には、「中間メモ」は触れていない。現在わが国では、ロボトミーなどの手術は行われておらず、それ以外の治療についてては、むしろガイドラインによるほうが妥当だと思われたからである。

なお、「中間メモ」は、病院内での処遇について、患者は、知事に対して調査の請求をすることができ（II三(2)）、国および都道府県は、病院に対して、患者の処遇に関して、報告を求め、調査を行い、改善の勧告をすることができるようにしようとしている（Ⅱ五）。

さらに、入院に際しては、患者等に対して、右のような調査の請求ができること、その他、「患者の権利保護に必要な一定の事項」を告知すべきだとしている（Ⅱ二）。

新しい法律のもとでは、医師は、病院内での患者の自由の制限、同意入院・措置入院患者の退院の際の診断など、精神障害者の自由の制限により深く関わることになる。そこで「中間メモ」は現行法の「鑑定医」という名称を「指定医」に変えるとともに、その資格取得に必要な経験年数を長くし、患者の人権に関する法律的な諸問題についての研修をも受けることを要件としようとしている。

六

いま一つの日本の入院制度の問題点は、入院および入院の継続の当否について、患者の側から第三者に対して審査の請求ができる制度が不十分であり、また入院の継続の当否について、定期的な審査を行う制度が欠けていることである。

現行法のもとでも、上のような審査の制度が全くないわけではない。措置入院に対しては、行政不服審査法にもとづき、知事に不服を申し立てることができるし、また行政訴訟を提起して、裁判所の判断を仰ぐこともできる。同意入院に対しては、人身保護法の手続をとることができる。しかし、これらは、一般的な手続であって、精神障害者の救済を目的としたものではないので（入院患者の通信、面会が制限されていて、実際上、手続を取り難かったこともあって）、あまり実効性がなかった。人身保護法も、「手続に著しく違反していることが顕著である」場合に限られており、実質的な入院の要否にまでは審査が及ばない。

「中間メモ」は、「入院および入院継続の要否に関する調査請求について」「公平かつ専門的な観点から判断を行うための審査機関を都道府県に新たに設ける」べきだとした。司法裁判所に審査を求める制度はとらず、新たな委員会を作るのが適当だとしたのである。それは、イギリスの「精神保健審査会」に似た制度であるといえよう。しかし、この委員会はイギリスの「精神保健審査会」のような組織上独立性を持ったものではない。委員会は、都道府県の行政組織の中にあるものであって、これと別個独立のものではない。また、請求は知事に対してなされるのであって、直接委員会に対してなされるわけではない。しかし知事は受けた請求をすべて委員会に付託しなければならないのであり、委員会は審査にあたっては知事から独立して判断し、知事は委員会の判断に従わなければならないものである。すなわち、組織的には独立ではないが、機能的には独立だといえる。また諮問機関ではなく独立の判定機関だということができる。そうだとすると、国際人権規約第九条第四項の「court」という要件を、満たしたものということができるであろう。組織的にも独立した委員会が作られなかったのは、行政機関の行為に対する審査を行う機関を司法裁判所以外に設けることは、現在の日本の法制上、少なくともただちには困難であり、また財政上の見地から行政機関の簡素化が推進されている現在、事務局を含む全く独立の機関を新たに作ることは困難であったためである。機能的に独立の機関であれば、わが国にも他に例があるので設立が容易である。

委員会の構成には、とくに触れられていないが、「専門的な観点から」判断することが予定されているので、医師および法律家や他の有識者によって構成されることになるであろう。手続についてもとくに触れられていない。もし、ほとんどが単なる書面による審査であるならば、実効性は少ないし、国際的な基準を満たすことにもならないであろう。

調査の申立ては、保護義務者もすることもできる。しかし、保護義務者である親族は退院後大きな負担を負うのであるから、その退院請求にはディレンマがある。したがって弁護士その他の第三者による患者に対する援助が必要であろう。とくに弁護士の費用については、国あるいは弁護士会で負担するようにするのが適当であろう。

入院継続の当否についての定期的審査もこの委員会で行われる。どの程度の間隔で行うかについては触れられていないが、「入院後の期間に応じて」としているのは、入院の始めの時には例えば六ヵ月に一回、入院が長期にわたっているときは、一年に一回というように、いくらかの違いを認めてもよいという趣旨であろう。この審査も、書面審査に終ったのではあまり意味がない。しかし、現在の入院者の数と委員の負担を考えると、書面審査が主となってしまうおそれもないではない。

ただ、入院あるいは入院継続の当否は、ある法律的な基準で割り切りにくい面をもっていることにも注意しなければならない。退院後引き取って世話をする者があるかないかが問題だからである。日本では、民事裁判所でも、法律に従って裁判するよりも、裁判所の斡旋で和解によって解決されることが多い。この委員会でも、あるいは、退院後の保護者を捜し斡旋する仕事がむしろ重要な役割を占めることになるかもしれない。

Ⅲ　精神衛生法の改正と精神障害者の人権保障

一

わたくしは、少し前から厚生省の公衆衛生審議会の精神衛生部会に出させていただいておりまして、今回の精神衛生法の改正についても少しお手伝いを致しました。それで、主として法律の面から、今回の改正のいくつかの問題点について申し上げてみたいと思います。

今回の精神衛生法の改正は、わが国の精神医療に対して、外国の人たちからいろいろな批判が加えられたので、それに応えるために、さしあたり必要な改正がなされたものであるといえます。もちろん、わが国でもかなり前から、現在の精神医療についてさまざまな批判と論争があり、その結論の一部が、今回の改正で実現されたものでもあります。しかし、やはり、外国からの批判が改正に踏み切る契機となったことは、否定できません。

では、その批判とはどういうものであったのかと申しますと、その主要な点は、わが国の精神医療が病院中心的なものであり、その病院があまりに閉鎖的なものである、という点にあったといっていいでしょう。これは、精神医療のあり方全体に関するものであり、今回の改正は、この点についてもいろいろと配慮しておりますが、これらの点はすでにご存じのことと思いますので、今日は触れません。法律的な事項としてとくに指摘されましたのは、強制的に入院させられた者、とくに同意入院の患者についての、法的な救済手段が十分でないという点、および病院内での不当な処置に対して救済の手段が十分でないという点でした。

では、なぜわが国の法律では、同意入院者についての法的な救済手段が十分でなかったのかといいますと、それは、同意入院が、その文字が示すように同意にもとづく入院だと考えられていたからだといっていいでしょう。もちろん、本人は同意していませんが、保護義務者の同意は、いわゆる「代諾」すなわち本人の同意に代るものだとされていたのです。その根底には、一方では、精神障害者は、入院した方がいいかどうかについて正しい判断はできないものであり、他方では、保護義務者、とくに親戚は、本人の立場に立って同意するものであるという考えがあったといえるでしょう。しかし、精神障害者であっても、すべてのことについて無能力であるというわけではなく、現に入院はいやだといっているときは、やはり意思に反するものだとして取り扱わなければならないのではないか。そしてたとえ親戚であっても、自由の拘束というような重大なことについては、本人に代って承諾するということは認め難いのではないか。たしかに、精神障害者が禁治産者になりますと、後見人がつき、禁治産者の行為を取り消すことができます。しかし、これは精神障害者の財産的な利益を保護するためであって、自由の拘束というような本人に不利益なことまで、代って同意をすることを認めうるかどうかは、これとは別の問題です。また、怪我をした患者が意識がないようなときは、手術をするかどうかについて親戚の同意が法律上意味を持つこともありますが、精神障害者をつねに意識がない者と同一視することはできません。それで、「同意」入院も、措置入院と同じく、強制入院の一種だと考えざるをえないということになったのです。

ところが、精神衛生法のもとでは、同意入院させられた者が、その入院は不当だとして争おうとしても、人身保護法で救済を求めるしか方法がありません。そして、この人身保護法は、「法律上正当な手続によらないで」自由を拘束された場合についてだけ、救済を認めています。ですから、保護義務者でない者の同意によって入院させられたようなときは救済されますが、保護義務者の同意という手続がとってあれば、精神障害ではない、あるいは入院するほど重くはないという理由では、救済されないのです。それで、精神衛生法は、国際人権規約B第九条第四項の「逮捕又は抑留によって自由を奪われた者は、裁判所がその抑留が合法的であるかどうかを遅滞なく決定すること及びその抑留が合法的でない場合にはその釈放を命ずることができるように、裁判所において手続をとる権利を有する」という規定の要求を満たしていないことになります。また、わが国の憲法第三四条の「何人も、理由を直ちに告げられ、且つ、直ちに弁護人に依頼する権利を与へられなければ、抑留又は拘禁されない」という規定の要求も満たしておりません。

二

それで今回の改正にあたっては、この「同意入院」という制度を維持することがいいかどうか、維持するとしたとき、どのような法的な救済手段を設けるべきかが、ひとつの大きな問題でした。

入院は、措置入院と任意入院に限るべきだという考えもあります。アメリカのいくつかの州ではそういう考え方をとっています。病気のため他人に害を与えるおそれがあるときは、強制的に入院させて治療することもやむをえないが、他人に害を与えないのであれば、本人の意思に反してまで無理に治療することはないではないか、というのです。極端な言い方をすれば、患者には病気である権利があるということになるでしょう。これはたしかに割り切った考え方ですが、精神障害の場合は、それではやはり十分な医療がなされなくなるおそれがあります。ですから、改正法も、措置入院・任意入院の外に、「医療保護入院」というものを認めました。この「医療保護入院」の要件は、法規の文言上は「同意入院」と同じで、医師が入院が必要だと認めたことと保護義務者が同意したこととが要件になっています。ですから、ただ名前を変えただけだといえなくもありません。しかし、わたくしは、かなり考え方が変わったのだと受けとるべきだと思います。「同意入院」は、保護義務者の同意が、患者の意思によらない入院を正当化する根拠でした。そして、「保護義務者は、精神障害者に治療を受けさせなければならない」（二二条）という規定から、この保護義務者の入院させる権限と義務とが出てくるのだという解釈もなされていました。しかし、保護義務者にこのような権限を認めるのが無理であることは、前に申したとおりです。この規定からは、せいぜい保護義務者には、患者が入院をするように説得につとめなければならないという程度の義務しか認め難いでしょう。「医療保護入院」を正当化する根拠は、医師の判断です。入院しなければ病気が恢復しない、あるいは病気が悪化するであろう、したがって、強制的にでも入院させて治療あるいは保護をする必要がある、それが結局は本人のためによいことである、という判断です。保護義務者の同意は、そういう場合でも、保護義務者があくまで自宅で治療したいというのであれば無理に入院させることはできないという、いわば消極的な要件に過ぎないと思われます。

このような、本人のためとはいえその自由を拘束する権限というのは、本来ならば、裁判所だけが持ちうるものです。アメリカの多くの州やヨーロッパ大陸諸国では、裁判所の許可がなければ強制入院をさせることはできないことになっています。しかし、イギリスでは、医師の判断でできることにしました。この違いが、しばしば「リーガル・モデル」と「メディカル・モデル」の対立として議論されているものの主要な点です。イギリスは、この点では「メディカル・モデル」を採ったわけですが、ヨーロッパ人権裁判所の批判などもあって、入院させるのには二人の医師それも入院させる病院の医師以外の二人の医師の判断が必要だとし、患者が申し立てれば精神保健審査会の審査が受けられるようになっています。

わが国でも、今回の改正にあたっては、医療保護入院をさせるためには、二人の医師の判断が必要だとすべきであったろうと思います。しかし、わが国ではまだ、医師が他の病院のこと、あるいは他の医師の判断に介入することに、かなり躊躇があるようです。それで、さしあたり、これまでどおり、入院させる病院の一人の医師の判断でもいいことにしました。ただ、その医師が指定医であることが必要だとしただけです。これは、入院の要件をあまり厳格にすると、十分な医療が行われなくなるのではないかという考慮にもとづくものです。しかし、その判断だけで長期間入院させるのは適当ではないので、入院後一〇日以内に、今回新しくできる「精神医療審査会」に報告をしなければならないことにし、入院およびその継続の要否を審査会が判断することにしました。この審査会は、このほか定期的審査も行いますが、この治療保護入院についての審査は他の定期的審査、すなわち入院させたこと自体は妥当であったが、もう退院させるべきではないかを審査するのとは、性質がちがっています。

これと別に、入院させられた患者またはその保護義務者は、「入院の必要があるかどうか」すなわち、入院させたことが妥当であったかどうかの審査を精神医療審査会に請求することができます。これは、さきに述べました国際人権規約の要請にもとづくものです。そして、このような請求をすることができる旨が、入院した者に告知されなければなりません。

また、憲法第三四条の要請で、自由拘束の「理由」も告知しなければなりません。この告知についてては、一部の医師の方々から、強い疑念が示されました。その一つは、告げ方あるいはそのタイミングの点についてのものです。たしかに入院直後は、病状によっては、告知することは不適当であり、あるいは告知しても理解されず意味がないということもあるでしょう。ですから外国では、「病状の許す限り速やかに」という規定にしているものもあります。今回の改正法についても、国会でほぼ同趣旨の但書が付け加えられました。しかし、疑念には、この点だけでなく、告知すること自体に対するものもあったように思われます。医師がとった入院という処置に対して審査の請求ができると告げること自体、医師と患者との間の信頼関係を損うのではないかという危惧です。そういう危惧があること自体は理解できます。しかし、人権という立場からは、やはりまったく告知をしないというのは、どうしても具合が悪いでしょう。医療と人権とは、いくらかの限度では衝突せざるをえないようです。

ところで、この精神医療審査会は、人権規約の「裁判所」にあたるものですから、形式的な意味での裁判所でなくともいいにしても、「独立の審査機関（independent tribunal）」でなければばなりません。都道府県の行政組織の一部であり、その委員が知事によって任命されるこの「精神医療審査会」が、右の要件を満たすものであるかどうか、疑問がないわけではありません。しかしわたくしは、請求された案件がすべて審査に付され、審査会は、知事から独立して審査を行い、知事がその結論に従わなければならないのですから、委員の人選が適正に行われれば、右の要件を満たしているとしていいと思います。

問題は、その委員の構成にあります。改正法によれば、医師三人、法律家一人、その他の学識経験者（おそらく医療福祉関係者から選ばれることになるでしょう）一人で審査を行うことになっています。なぜ医師が三人なのか。イギリスの審査会が医師一人、法律家一人、ソウシャル・ワーカー一人となっているのと比べても、疑問があります。外国からも早速この点が指摘されています。入院させた医師の判断を審査するのに一人の医師ではやり難く、三人くらいいたほうがいいということであるのかもしれません。しかし、少しかんぐれば、法律家その他の医療についての素人の意見も聞くことは聞くけれども、いざとなれば多数決で医師の意見が通るようにしようとしているのだと見えなくもありません。そうだとすると、医師の専門家意識が表面に出すぎているわけで、少しどうかと思われます。

この点は、審査会が何を判断するのか、さらには、医療保護入院はどういう場合にするものなのか、という点とも関係しています。病院経営上の都合で、入院の必要がない者まで入院させることがないように審査する必要もないではないかもしれませんが、これは論外とします。問題は、医療保護入院の基準にあるように思われます。他の病気の場合は、入院治療の必要があるかどうかは、ほとんど、もっぱら医学的な観点からなされ、素人が口をはさむ余地はないでしょう。しかし、精神医療の場合は、地域社会の中にいて社会生活を営ませ、人間関係を調整し、自己の決断でものごとを処理してゆくように援助することが、医療という観点からも重要だと考えられるようになっているといっていいでしょう。そういう人間関係については、福祉関係者の知識と判断が必要でしょうし、また、自由な状態でいたいという患者の気持と、病院にいないと医療という点からは多少不十分になることとのバランスをどこでとるかという点については、法律家の判断も意味があると思われます。逆に医師は、入院させて手許において治療するほうが効果があがると考えるのがむしろ自然でしょう。外にいたのでは、薬もよく飲まないかもしれないし、通院せよといっても来ないかもしれないという、いわば職業的熱心さから、入院させるほうに傾くおそれもないではありません。精神衛生部会の「中間答申」は、医療保護入院の基準を明らかにしてゆくことを希望事項として掲げています。これは、このようなバランスをどこでとるかについて、次第に基準がはっきりしてゆくことを希望したものです。

今回の改正法では、「任意入院」が原則であり、強制入院である「医療保護入院」はあくまで例外であることが、宣言されました。これは、法律家にとっては、当然のことだとおもわれます。人に強制を加えることは、やむをえない場合に限られなければならないのは、当然だからです。ところが、一部の医師の方々には、ただ「任意入院」という形態のものもあるというだけの規定、すなわち医療保護入院、措置入院と任意入院とを並列的に並べたものにすべきである、という意見もありました。これには、少し驚いたのです。もっとも、そういう意見を述べられた方は、どこまで任意入院をするように説得しなければならないのか、という点を心配しておられるようでした。もう少し説得したら同意したかもしれないのに医療保護入院にしてしまったのは違法だ、といわれたのでは困る、ということでしょう。たしかに、どの程度まで説得するのがいいか、どこで医療保護入院に踏み切っていいかは、実際上、微妙な問題を提供するでしょう。しかし、一般論としては、やはり任意入院が原則であるべきであって、医療保護入院は、やむをえない場合に限られるべきであり、そのことを法律が宣言することは、なるべく医療保護入院をさけるためにも、重要なことだと思われます。

三

任意入院という以上は、退院するかどうかも自由であり、また病院内での行動は、外出も含めて、原則として自由であるということであって、はじめてその名に値すると思われます。しかし、改正法は、任意入院の患者が退院したいと言ったとき、七二時間は病院に止めておき、医療保護入院あるいは措置入院に切り替えるのが適当かどうかを判断し、適当だと考えたときは、切り替えることができることにしています。たしかに、一般の患者だと、たとえば手術の直後に退院したいと言ったとしても、医師がそれは無理だと言えば納得するでしょうが、精神障害者だと、病院で治療の効果がやっとあがりつつあるのに、退院すると言い張ることもあるでしょう。ですから、現在は、そういう場合に備えて、あらかじめ保護義務者の同意を取っておき、実際は任意入院であるにもかかわらず、同意入院という形をとっている場合もかなりあるようです。それで、任意入院を増やすためにも、このような、いわゆる「ホールディング・パワー」を認めるのが適当であろうということになったのです。このような権限は、イギリスの精神衛生法なども認めております。たしかに、そういう処置が必要な場合もあるでしょう。しかし、他方では、形だけは任意入院だけれども、患者が退院したいと言うとすぐに医療保護入院に切り替えられるというのでは、形の上だけ、あるいは統計上だけ任意入院が増えるだけのことにもなりかねません。それで、このホールディング・パワーの行使はあくまで例外的なものであるべきです。そして、患者はただちに、精神医療審査会の審査を求めることができるのです。

行動の制限については、任意入院の患者は、その性質上、本来、開放的な処遇であるべきであり、その行動の制限も、説得によるものか、あるいは本当に緊急な場合に限られるべきものでしょう。しかし、医師の方々のご意見では、病院の中では、患者を平等に取り扱い、専ら治療上必要かどうかという観点から、行動の制限も考えるべきであり、入院の種類の違いによって差別を認めるのは適当でないというものが強く、それももっともであるように思われます。また、医療保護入院の患者、さらには措置入院の患者も、病院内での行動の制限は最小限度に止めるべきで、とくに自由入院とちがって行動の制限がひろく認められるかのような印象を与えるのも適当ではないでしょう。それで、法律の上では、行動の制限については、入院の種類によって区別を設けることはしませんでした。むしろ病院全体をできるだけ開放的にすべきだというわけです。しかし、わが国の精神病院は現在のところ、何といっても閉鎖的です。これは、建物の構造の関係もあるようですが、また、閉鎖的な処遇に馴れている医師の方々のなかに、開放的にすることに対する不安がまだかなり強いためでもあるようです。しかし、思いきって開放的にやってみると、案外やれるものだという方々もおられます。また、任意入院だと患者は病院を選べるわけですから、開放的な病院に患者が集まり、閉鎖的な病院は淘汰されてゆくだろうという人もあります。そうなるかどうかわかりませんが、いずれにせよ、任意入院という制度を明文化したのですから、できるだけ開放的に運営されることが望ましいと思われます。精神衛生部会では、今回の法案を諒承する際に、とくにその趣旨のことを希望事項として述べました。

任意入院の患者を開放的に取り扱うこと、とくに外出を自由にすることについては、外出中に患者が人を傷つけたようなとき、病院がどこまで責任を負うのかという点を危惧される方が多いようです。そしてこの点が、開放的な処遇を躊躇される一つの原因にもなっているようです。通信の自由を認めることについても、人の名誉を毀損しあるいは不安に陥れるような手紙を出したとき、病院が非難されることをおそれる声もあります。たしかに、任意入院患者の外出が全く自由で、病院はこれを止めることはできないとすれば、外出後の行動について病院が法律上責任を問われることはないでしょう。手紙については、検閲しないことになりましたから、そういうことになります。しかし、今度の法律のように、病院内での任意入院患者の行動も制限できるということになりますと、病状から見て外出すれば人を傷つけるおそれがあることがかなり明らかであるにもかかわらず外出させたときは、病院が法律上責任を問われることもないではありません。権限には責任が伴うのです。しかし、これはかなり例外的な場合であって、外出した任意入院患者あるいは医療保護入院患者がたまたま人を傷つけても、病院が当然法律上の責任を問われるわけではありません。もっとも、法律上責任がないといっても、現在は、近隣の人たち、あるいはマスコミの批判が事実上病院に向けられることは、ある程度避けがたいでしょう。この点は、一般の方々の理解を得るよう努力してゆくほかないことですが、ここに、難しい問題があることは事実です。

四

措置入院については、ほとんど改正はありません。ただ、措置入院にするかどうかについての基準が都道府県によってまちまちだという批判もありますので、厚生大臣が定める基準に従って行うことにされました。現在でも、局長通知という形で、一応の基準は作られています。これをいくらか整理して、大臣告示という形にすることになるでしょうが、性質上そうはっきり形式的に基準が決められるようなものではありません。実質的な問題は、むしろ判断の資料にあるように思われます。現在、犯罪行為をして捜査がなされ検察官から通報があったときにも、捜査資料は送付されません。それで、措置入院にするかどうかを判断するにあたっても、過去の行為などについての資料に乏しいわけです。この点を改善する必要があると思われます。いま一つは、診断が、多くの場合面接だけで、即座に入院措置がなされる点です。本人のための医療保護入院ならとにかく、他人を傷つけるおそれがあるというわゆるポリス・パワーにもとづく強制入院は、一段と慎重にやる必要がありますから、わたくしは、仮入院によって十分な診断がなされるのが望ましいと思います。なお、この措置入院についても、患者は、精神医療審査会に審査を申し立てることができます。

退院については、措置入院者が処遇困難であるときは、病院はいわば厄介払い的に退院させてしまうのではないか、それで、出た後、また加害行為をすることもあるのではないか、という一部の人たちの批判があることは、ご存じのとおりです。ここに、いわゆる保安処分との関係で難しい問題があります。それで、今回の改正では、退院の判断について、他の者も関与させた方がいいかどうかが、一つの問題でした。しかし、治療をしてきた医師がやはり最もよく判断できるであろうというので、その医師を指定医に限ることにしただけです。問題は、処遇困難な者でも処遇できるような病院の体制を作ることにあると思われます。

ご存じのように、イギリスには、ブロードムアその他いくつかの「特別病院」があって、そこに処遇困難者を収容しています。そのために、他の一般の精神病院は、思いきった開放的な処遇ができるようになっているといっていいでしょう。もっとも、一時は処遇困難だとすぐブロードムアなどに送るので、ブロードムアが一杯になってしまった、というようなこともありました。それで、地域の病院にも「保安区域（security unit）」を設け、ブロードムアに送るほどのことはない者はそこで処遇することにしたようです。わたくしは、わが国にも、ブロードムアのような病院を一つか二つ作る必要があると思います。そこでは、処遇困難者の処遇についての研究もなされることになるでしょう。しかしそれと同時に他の自治体病院でも、ある程度の保安区域を持つ必要があるでしょう。私立病院こそむしろ開放的であってよいように思われます。

このような議論をしますと、おそらくそれは保安処分を認めることではないか、という反対があるでしょう。「保安処分」という言葉は、精神医療界で、ここしばらくタブーのようになっていました。たしかに、刑法改正草案が認めているような、法務省の施設に一定期間収容するという制度は、保安という面が正面に出すぎており、妥当とは思われません。また、精神障害者はすべて危険であるというような観念が拭い去られていないわが国で、精神障害者に対する保安的な措置を議論すると、精神医療そのものを閉鎖的・保安的なものにしてしまうおそれもないではありません。このような意味で、保安処分反対が強く叫ばれたことは、十分意義のあることでした。しかし、だからといって問題を避けてばかりいることはできません。むしろ一部の処遇困難者が、適切な処遇がなされないために、人に害を加え、そのため精神障害者全体が危険なものであるかのような印象を一般の人たちに与えるおそれもあるのです。

精神医学者のなかには、たとえばアメリカのストーンなどのように、病院は医療に徹すべきであり、保安的な、社会防衛的な措置は刑事司法に委ねるべきだという意見の人もありま す。しかしそういう立場をとると、わが国の刑法改正草案よりもっと徹底した制度をとるこ とになりかねません。すなわち、責任無能力制度を廃止して、犯罪行為をした精神障害者も 刑務所に入れる、あるいは責任無能力として無罪になった者は法務省の保安施設に入れる、 というようなことになりかねません。このような制度は妥当とは思われないのです。

精神医療は、病院で、ただ患者の治療をするだけではすまなくなっているように思われま す。一般の精神障害者の場合にも、地域医療に医師が協力し、病院での治療も退院後の社会 復帰あるいは社会参加に配慮しながら行われなければならなくなっています。他方、「保 安」・「社会防衛」というと、もっぱら、その人に対して外の者が防衛するものであるかのよ うに聞こえますが、そうではなく、人を傷つけないで社会生活ができるように、その人を治 療し援助することをいうのです。精神医療はこのような意味で「社会化」してゆくべきだと 思われます。

自治体病院は、これまで、開放的な治療という点で尖兵的な役割を果たしてこられました。

しかし、そのため、処遇困難者の処遇が私立病院にしわよせになっていたきらいもないではありません。これからは、処遇困難者の処遇についても、自治体病院が尖兵的な役割を果たされることを期待する次第です。

Ⅳ　精神医療審査会について

一　はじめに

精神衛生法の改正に伴う付属法令についての意見を求められたのであるが、精神医療審査会の設置が今回の改正の大きな眼目であるので、ここではこの審査会（以下単に審査会という）についてだけ述べることにする。

これまでの精神衛生法には入院者の人権保障の上で欠陥がある、という指摘が内外の識者からなされてきた。とくに、国際人権規約B第九条第四項の「逮捕又は抑留によつて自由を奪われた者は、裁判所がその抑留が合法的であるかどうかを遅滞なく決定すること及びその抑留が合法的でない場合にはその釈放を命ずることができるように、裁判所において手続をとる権利を有する」という規定の要求を満足させていない、という批判が強かった。審査会は、この要求に答えるために設けられたものである。しかし、この審査会についての法律の規定は簡単であり、施行令もごく基本的なことしか規定していない。そして、この審査会の運営について必要な事項は、審査会自身で定めることになっている（施行令二条の二第一〇項）。そこで、審査会が手続等について定める際の参考として、「精神医療審査会運営マニュアル」が、保健医療局長の通知として、出された（健医発五七四号）。このマニュアルに沿いつつ、審査会というものの性格およびそれがどのように運用されることが期待されているかについて、簡単に述べてみたい。

二　医療保護入院

そのままに、医療保護入院について一言しておこう。新法は、旧法の「同意入院」を「医療保護入院」に変えた。これは、ただ名前を変えただけのようにも受け取られているが、そうではないことに注意する必要がある。第一に、同意入院は、これまで保護義務者の「代諾」による一種の「任意入院」だと考えられてきたが、そうではなく、やはり強制入院の一種だと考えなければならない。だからこそ、法的な救済手段が必要だとされるようになったのである。それだけでなく、これまでの同意入院は、保護義務者の同意が入院を正当化する根拠であったが、新しい医療保護入院では、医師の判断が入院を正当化する根拠であり、保護義務者の同意は、医師が入院させるのが適当だと判断した場合でも同意がなければ入院させることはできないという、いわば消極的な要件にすぎない。審査会で審査されるのも主としてこの医師の判断なのである。

三　審査会の性格と構成

審査会は知事の諮問機関ではなく、独立の審査機関である。入院中の者の退院の請求は知事に対してなされるが、知事はこれを必ず審査会の審査に付さなければならないし（法三八条の五第一項）、審査会によって「入院が必要でないと認められた者」は、知事は必ずこれを退院させ、または病院管理者に退院させることを命じなければならないのである。そこに知事の裁量の余地は認められていない。マニュアルは、さらに委員会が「独立して職権を行う」ものであることを、念のため明らかにしている。

審査会は、審査会と合議体との二重の構成をとっている。審査会は、五人以上一五人以下の委員で構成され、合議体の委員の割振りや審査の手続などを定めることは、この審査会でなされる。しかし、個々の案件の審査は、五人からなる合議体でなされる。この合議体（こういう一般的な名称を使ったのは適当ではなかったであろうが）は、いわゆる「部会」ではない。部会なら、その決定が審査会に報告され承認されてはじめて審査会の決定ということになるが、この場合は、合議体の決定がただちにそのまま審査会の決定になるのである。それは裁判所の構成に似ている。最高裁判所は、一五人の裁判官で構成されるが、その中の五人で小法廷が構成され（そのうち三人が出席すればよい）、その小法廷の判決は、最高裁判所の判決だということになる。

合議体は、精神科の医師三人、法律家一人、その他の学識経験者一人からなる（法一七条の三第二項）。その他の学識経験者としては、マニュアルに明記はされなかったが、医療福祉の関係者から選ばれることが期待されている。このように、医療的観点、法的観点、福祉的観点という三つの観点から審査するところに、この審査会の特色がある。なお、この五人のうち、法律家の委員と他の学識経験者の委員は必ず出席しなければならないが、医師の委員は一人出席すれば、会議を開くことができる。

四　審査会の権限

審査会は、さきに述べた国際人権規約が要請している事項よりもさらに広い権限が与えられている。これを大きく分けると、請求にもとづく審査と職権による審査（法もマニュアルも職権という言葉は使っていないが、訴訟法の用語に従い仮にこう呼ぶことにする）に分かれる。

(1)　請求にもとづく審査

これには、次の三つがある。

(イ)　入院についての審査　措置入院になった者および医療保護入院になった者またはそれらの者の保護義務者は、その入院させたこと自体の当否の審査を請求することができる。このことは、条文上、必ずしも明らかでないが、「その入院の必要があるかどうか」（三八条の五第一項・二項）という語は、この趣旨も含むものである。もっとも、入院させたことが仮に不当であっても、審査のときにはすでに退院しているとき、または自由入院に切り替えられているときは、審査の対象にはならない。したがって、審査会も強制入院中の者に対してだけ「退院させよ」という決定をすることになる。しかしその理由としては、入院させたこと自体の当否も問題にしなければならない。第一回の審査請求は通常このような入院させたことの当否についてのものであろう。なお措置入院に対しては、ただちに行政訴訟をおこすこともできるが、審査会の審査を求めることもできる。

(ロ)　入院継続についての審査　ヨーロッパの人権裁判所は、抑留が長期にわたった場合は、その必要性の有無について審査を求めることができることも、人権規約B第九条第四項の要請であるとした。その趣旨に沿って、審査会は、入院者の請求があれば、入院継続の当否を審査することにした。ただこの請求をどの程度の間隔で認めるかは一つの問題である。六月ごとくらいに認めるのが適当ではないかという意見もあった。しかし、法はこのような期間の制限を置いていないので、請求が却下された直後にすぐまた請求することもできるわけである。

もっとも、法は、審査にあたっては、原則として請求者の意見を聞かなければならないが、但し「意見を聞く必要がないと特に認めたときは、この限りでない」としている（三五条の五第三項）。マニュアルは、この但し書に制限をつけ、最初の請求と、前に意見を聞いて審査をしたときから六月以上を経た後の請求の場合は、必ず意見を聞かなければならないとした。これは裏からいえば、六月以内に繰り返えされた請求については、右の但し書が適切に運用されて然るべきだということである。

(八)　処遇についての審査　入院中の者およびその保護義務者は、都道府県知事に「処遇の改善のために必要な措置を採ることを命じることを求めることができる」（三八条の四）。この審査は人権規約の要請ではないし、また本来行政監督的なものであるが、不当な取扱いの事例もあったので、審査会の権限とされた。知事は、この請求があったときは、法三八条の七にもとづき、直ちに自ら改善命令を出すこともできる。そこで、請求が取り下げられれば、審査会にかける必要はなくなるが、取り下げられなければ、やはり審査会にかけなければならない。この請求を受けた都道府県知事は「その処遇が適当であるかどうか」について、審査会の審査をもとめなければならない。審査会が審査するのは、請求の対象となった処遇の「当否」だけであるが、審査会は、同時に改善のための参考意見を述べることもできる。改善のための具体的処置は、知事がとるのである。

(2)　職権審査

このなかには、医療保護入院に対する審査と定期審査とがある。

(イ)　医療保護入院をさせたときは、病院の管理者は一〇日以内に、知事に報告をしなければならない（三三条四項）。知事は、この報告を受けたときは、「入院の必要があるかどうかに関し」審査会の審査を求めなければならない。審査会がどの程度の期間内に審査をしなければならないかについての規定はないが、当然早急に審査しなければならないであろう。もともと、医療保護入院を一人の医師、しかも当該病院の一人の医師の診断で行うことができるとしていいかどうかは、一つの問題であった。医療保護入院が医師の判断による強制的な入院であるならば、イギリスなどのように他の病院の二人の医師の診断が必要だとすべきであったろう。しかし、法はさしあたり、一人の医師の診断でよいことにし、その代りにこの審査の制度を設けたのである。したがって審査後は審査会の責任で入院を継続させるものだといってよい。審査もその趣旨に沿うように行われるべきであろう。もっとも、審査前に退院させまたは任意入院に切り替えたときは、審査は必要でなくなる。運用としてはなるべく早く任意入院に切り替えることが期待されているといってよいのである。

(ロ)　職権による定期の審査（三八条の二）は、いわば行政的な監督作用であり、これを裁判所的な性格を持つ審査会の権限とするのがいいのか、問題である。しかしむしろ職権による定期審査の方が入院期間の短縮のためには、実効性があるのではないかとも思われたので、その審査を実質的なものにするために審査会の権限とされた。したがって、一率の単なる書面審査であるならば、ただ審査会の負担と病院の書類作成の負担を増加させるだけで、あまり意味がないであろう。マニュアルも定期審査については、一方では委員の事前審査を認め、他方では、必要な場合には、知事に実地調査を求め、また病院管理者等の意見を聞くことができるとしている。事案により、審査のやり方に適切な違いを設けることが重要であろう。

五　請求に基づく審査の手続

審査の手続については、法にも施行令にもくわしい規定はない。しかし、その手続の如何によって、この審査会の実質は大きく左右されるであろう。マニュアルが構想する手続はおおむね次のようなものである。

(イ)　審査請求　　請求は書面でするのが原則であるが、口頭でもよい。また、代理人による請求も認められる。ただし代理人は弁護士に限られる。もっとも、弁護士に限ることには問題がないわけではない。地域によっては、弁護士の数が十分でなく、手がまわるかどうか疑問もあるからである。実施後の状況を見てさらに検討すべきであろう。なお、この場合の代理人は、刑事裁判の弁護人のように、包括的な代理権を持ち、入院者を保護する任務を持つ者なのであって、民事の取引の場合のように個々の行為について代理をする代理人ではない。

(ロ)　書類の準備　審査会は、自己の事務職員を持たない。したがって、審査の事務的なことは、都道府県庁の職員が行うことになる。準備として一定の書類を集め、審査会に提出するのも、これら事務官の仕事である。しかし、それはあくまで事務的な準備であるから、審査の内容には立ち入らないようにすべきである。

(ハ)　委員による意見聴取　審査にあたっては、まず一名または数名の委員が（病院に行って）、患者、病院管理者、保護義務者等に面接してその意見を聞くのが原則である。実際には、この意見の聴取がかなり大きな意味を持つであろう。そこでは、ただ双方の意見を聞くだけでなく、多少とも病院と入院者との間の「調整的」な活動がなされるであろうからである。その結果請求者が納得して請求を取り下げれば、それ以上の審理は必要でなくなる。このようにして解決する事件も、実際にはかなり多いかもしれない。

(ニ)　合議体による意見聴取　合議体は、この委員の報告を聞くとともに、必要と認めた者の意見を直接に聞いて、結論を出すことになる。請求者、病院管理者およびこれらの者の代理人は、意見を述べる権利がある。もっとも、患者が請求者であり、すでに準備段階で委員がその意見をきいているときは、合議体の前であらためて意見を述べさせなくともよい。これは患者が出てきて騒ぐのは困るということであろうが、この審理自体が、患者に納得させることを狙いとするものであることにも留意する必要があるであろう。

この意見聴取の手続には、なおいろいろと問題が残されている。

この手続が裁判手続に準じたものだとすると、一方の当事者が意見を述べるときには、他方の当事者も在席して、質問できるということにすべきであろう。しかし、マニュアルはそこまでは考えていない。それぞれから意見を聞くだけである。もっとも右のようなやりかたをとってはならないというわけでもないであろう。

入院者あるいはその代理人が入院の必要がないことを明らかにするために、病院側の書面を見たいという要求を持つのは、ある程度は当然である。もちろん、カルテなどの病院の内部書類は、閲覧させる必要はないであろう。審査会に提出した書類のなかにも、閲覧させるのは適当でないものもあろうし、また患者自身に見せるのは適当でないが、代理人には閲覧させてもいいものもあるであろう。しかしマニュアルは、一律に「合議体における資料については、これを開示しないものとする」としている。これは、一般に公開しないというだけでなく、相手方にも見せないということであろう。病状については、代理人が病院から直接に聞けということであるかもしれないが、それではかえってトラブルをおこすおそれもある。どこまでの書類を見せたがいいかは、なお検討の必要があると思われる。

もっとも、患者あるいは代理人が「入院の必要はない」と主張するのは、病状そのものよりも、退院後引き受ける人があるかどうかの問題であることが多いであろう。代理人の主な仕事もこの引受人を捜すことにあるのかもしれない。そこで、審査会は、ただ代理人が適当な人を捜してきたら退院を認めるというだけでいいのか、審査会としても、引受人を捜す努力をすべきなのか、という点が問題になる。現在の入院、とくにその長期化の原因の大きな部分は引受人がないための入院、すなわちいわゆる「社会的入院」にあることは、表だっては言いにくいことであるが、それが現実であることは、暗黙のうちに認められている。審査会が一種の「裁判所」であることを強調すれば、ただイエスかノーかをいえばいいことになるであろう。しかし、民事裁判所においてさえ、事件の多くは、和解によって解決されているのである。この審査会には、一段とそのような役割が期待されているのではなかろうか。審査会は「審査にあたっては必要に応じて関係者から意見を聞くことができる」が、その関係者のなかには、引受人あるいは引受人になる可能性のある者も、含まれていると思われる。

(ホ)　結果の通知　審査会は、引き続き入院の必要があるか、それともその必要はないかの結論を出し、これを知事に報告する。

この場合の退院させる必要があるという判断は、直ちに退院させることが必要であるという判断だけでなく、ある短い期間をおいて（たとえば一週間以内に）退院させるべきだということでもよいであろう。

なお、マニュアルは、「他の入院形態への移行が適当と認められる」という結論も出せるとしているが（例えば措置入院患者に対して、医療保護入院へ移行させることが適当であるというような）、このようなことは、「結論」としてではなく、付随的な意見として述べるべきことであろう。自傷他害のおそれがなくなったからといって、措置入院患者をただちに医療保護入院に切り替えていいというわけではない。医療保護入院にするためには、それなりの医師の診断が必要だからである。

この結論には「理由の要旨」をつけなければならない。結論だけだと木で鼻をくったようになるからであるが、どこまで病状などを理由として書いたがいいか、工夫の必要があろう。

(ヘ)　知事の措置　報告を受けた知事は、「審査会の審査の結果及びこれに基づき採つた措置」を請求者に通知しなければならない（三八条の五第六項）。この措置とは、三八条の五第五項の退院させる措置、退院を命じる措置あるいは処遇改善の措置だけでなく、入院を継続させる措置も含むと解釈しなければならない。この点は、入院継続の結論に対して、行政訴訟あるいは行政不服審査を求めることができるかという問題と関係する。単に審査会の結論であり、それが知事から通知されるだけであるならば、その結論はおそらく行政訴訟の対象にはならないであろう。しかし、知事の入院を継続させるという「措置」がなされるならば、行政訴訟の対象となるであろう。審査会の決定に対して不服申立てができるかどうかが、人権保障として十分なものであるかどうかの一つの重要なポイントである。その意味からも、この点は重要である。マニュアルは、法文の言葉をそのまま繰り返しただけで、この点を明らかにしていないが、内容は右のような趣旨であるといってよい。これに対して、職権審査のばあいは、入院継続が相当だという審査会の結論が出たばあいでも、知事はただその結果を通知すれは足り、とくに「措置」をとる必要はない。

六　おわりに

以上が精神医療審査会の概要である。何分にも、これまでわが国では例を見ない制度であり、また早急に作られたものであるので、実施にあたっては、いくらかの混乱は避けられないであろうし、また試行錯誤もある程度やむをえないであろう。しかし、多くの人達の努力により、制度の趣旨が生かされるように、運用が固まってゆくことが期待される。外国の人達も（こういう制度を作るべきだと勧告した人達だけでなく、あまりに法律化したことを反省しているアメリカなどの人達も）、なりゆきを注目しているのである。

〈資　　料〉

精神衛生法改正の基本的な方向について（中間メモ）

昭和六一年一二月二三日
公衆衛生審議会精神衛生部会

第一　はじめに

近年、我が国の精神医療・精神保健をめぐる状況には大きな変化がみられる。医学の進歩等に伴い入院中心の治療体制から地域中心の体制への転換と精神障害者の社会復帰の促進が強く求められている。他方、精神障害者の人権をめぐる議論が高まっており、現行の精神衛生法について精神病院入院患者の人権という観点からその見直しを行うべきであるとの意見が強く出されている。

このような中で、厚生省においては次期通常国会に精神衛生法改正案を提出すべく、現在幅広く検討を行っている。

当部会においては、去る一〇月以降、精神衛生法改正に関して精力的に審議を行ってきているが、今後の当部会での審議あるいは現在行われている精神衛生法改正のための検討にも資するものとするため、当部会として、これまでの審議を踏まえた精神衛生法改正に当たっての基本的な考え方並びに当面改正すべき事項についての中間的な意見を取りまとめた。なお、多くの検討すべき問題を残しているが、それについては今後引き続き検討を行っていくこととした。

第二　基本的な考え方

精神衛生法の改正に当たっては、国民の精神的健康の保持及び向上を図るとともに、患者の個人としての尊厳を尊重し、その人権を擁護しつつ、適切な精神医療の確保及び社会復帰の推進を図ることを基本的な方向とすべきである。このため保健、医療、社会復帰及び社会福祉を包括する総合的施策の実施が必要である。

今日、精神保健の問題は、多様化し、複雑化する現代社会において極めて重要な課題になっている。このため、国民が自らの精神的健康の保持増進に努めるとともに、地域においても、精神保健対策の充実が図られる必要がある。

精神医療については、できる限り一般医療と同様、生活の場に密着したところで適切な医療が受けられる体制を整備する必要がある。医療形態については通院医療を推進し、入院を必要とする場合には、できるだけ本人の意思に基づく入院医療を進め、本人の意思によらない入院医療については、必要限度を超えることのないよう患者の人権が尊重される制度とすることが必要である。

また、精神障害者の社会復帰・社会参加については、本年七月の本審議会の意見具申において述べられた考え方に沿って、その推進のための対策を更に強力に進めていくことが必要である。

なお、精神保健・医療に関しては、研究とスタッフの養成・充実が重要であり、今後とも積極的に取り組んでいく必要がある。

第三　当面改正すべき事項

以上のような基本的な考え方に基づいて、当面、以下に掲げる方向で精神衛生法改正が行われるべきである。

Ⅰ　地域精神保健対策の推進

国及び地方公共団体が広く国民一般の精神的健康の保持及び向上を図るための施策の実施に積極的に取り組むべきことにつき、法律に規定を設けることが必要であると考えられる。

Ⅱ　**入院制度等**

一　入院形態の見直し

(1)　自由入院の法定化

ア　現行法において規定されている入院形態はいずれも本人の意思とは関係のないものであるが、患者の人権という観点からも本人の意思による入院を推進すべきであって、法律上も明確に位置付けることが必要であると考えられる。なお、他の入院形態で入院した者もできるだけ自由入院へ移行しやすいようにすべきである。

イ　自由入院患者については本人の意思により退院できることが原則である。ただし、自由入院患者といえども病状によっては他の入院形態へ移したり、家族との連絡・調整等が必要な場合があるので、例えば七二時間程度の短時間の退院制限をできるようにする必要があると考えられる。

ウ　自由入院患者については、原則として開放的処遇によるべきである。ただし、病状によっては、一時的にその医療又は保護のため必要最少限の行動制限を行うことができるものとすることが適当であると考えられる。

エ　なお、「自由入院」という呼称については、他の適切なものとする必要がある。

(2)　同意入院の見直し

ア　同意入院は本人の意思によらない入院であり人権上も特段の配慮を要するものである。この入院形態は、入院医療が必要であるにもかかわらず本人が同意しない場合に限定し、精神衛生法に規定する指定医の診断を要件とするとともに、定期的にチェックする仕組みを制度化する等の措置を講じた上で、患者の医療を確保する観点から存続させることが適当であると考えられる。

イ　患者の早期治療という観点から、家庭裁判所による保護義務者選任手続きの実態等を踏まえ、医療上必要な場合に入院させることができるよう、例えば扶養義務者が同意した場合に一定期間に限り入院を認める措置が可能となるようにすることが適当である。

ウ　なお、「同意入院」という呼称については、他の適切なものとする必要がある。

(3)　措置入院の適正化

措置入院制度の適正な運用という観点から、他の入院形態に移す場合を含め措置の解除に当たっても精神衛生法に規定する指定医の診察を要件とする必要があると考えられる。

(4)　精神科救急への対応

精神科医療においても意識障害の場合など救急的な対応が必要とされる場合があるので、実施する病院等について一定の要件を課した上で、精神衛生法に規定する指定医の判断によって例えば七二時間程度の短期間に限り入院が可能となるよう制度を設けることが適当であると考えられる。

二　入院手続きの整備

入院に際しては、患者又はその保護義務者からの調査請求が保障されていること等患者の権利保護に必要な一定の事項について告知を行うよう制度化する必要がある。

三　入院患者の人権の確保

(1)　定期的な病状報告の実施

措置入院患者及び同意入院患者について、入院後の期間に応じて一定期間ごとに病状報告を徴し、入院継続の要否について定期的にチェックを行う必要がある。

(2)　入院患者にかかる調査請求規定の整備

入院継続の要否その他患者の処遇に関して都道府県知事に対して患者又はその保護義務者から調査を請求することができるよう規定を整備する必要がある。

(3) 入院患者にかかる審査機関の設置

(1)の病状報告による入院患者の入院継続の要否及び(2)の調査請求に関して、公正かつ専門的な観点から判断を行うための審査機関を都道府県に新たに設けることが適当であると考えられる。

(4) 行動制限規定の明確化

入院患者の行動制限に関しては、患者の人権擁護の観点に立って、必要最少限にとどめる。特に、入院患者にかかる信書の発受信については制限を行うことができない旨を明確化すること、また、保護室の使用等少なくとも一定の行動制限については精神衛生法に規定する指定医の判断に基づくものとすること等の措置を検討することが必要であると考えられる。

四 精神衛生鑑定医制度の見直し

(1) 指定要件の見直し

患者の人権に十分配慮する必要があることに鑑み、精神衛生鑑定医の指定の要件としての精神科実務経験について見直すとともに所定の研修を要件として加えるなどの見直しを行い、精神衛生法に規定する指定医として位置付けることが必要であると考えられる。

(2) 指定医の業務

(1)の精神衛生法に規定する指定医は、従来の精神衛生鑑定医の業務を行うほか、一定の行動制限、退院制限や同意入院患者の入院等についての判断を行うものとする必要があると考えられる。

五 精神病院に対する指導・監督規定の整備

精神病院における患者処遇の適正を一層確保する観点から、国及び都道府県は精神病院に対して患者処遇に関する報告徴収・調査等を行い、改善勧告等必要な措置を講ずることができるようにすることが適当であると考えられる。

Ⅲ　精神障害者の社会復帰・社会参加の促進

一　精神障害者の社会復帰・社会参加の促進については、本年七月の本審議会の「社会復帰に関する意見」を踏まえ、社会復帰のための施設の設置等に関する規定や、社会復帰・社会参加の促進について、それぞれの役割分担を十分に検討した上で、国・地方公共団体並びに民間レベルの積極的な取組みに関し規定を設ける必要があると考えられる。

二　精神障害者の社会復帰の促進という観点から、精神病院において患者に対する相談・援助や家族等との調整・連絡等を行う職員を置く旨をうたうことが適当であると考えられる。

Ⅳ　そ の 他

一　法律の名称について

法律の名称については、例えば「精神保健法」というものに改めることが適当であると考えられる。

二　いわゆる大都市特例について

精神保健行政においていわゆる大都市特例を設けることが望ましいと考えるが、他の行政分野における道府県と大都市との役割分担との整合性等に配慮しつつ、検討すべきであると考える。

三　精神障害者の定義規定について

現行法第三条の精神障害者の定義規定については、その全面的な改正を求める意見もあるほかその範囲及び規定の仕方など種々議論を要する点が多いことから、引き続き慎重に検討を行っていくことが必要である。

四　保護義務者について

保護義務者に係る問題については、市町村長が保護義務者として入院の同意を行うことを含め、更に検討を行う必要がある。

精神保健法（改正部分）

昭和二五年法律第一二三号
改正　昭和六二年九月二六日法律第九八号

第一章　総　則

（この法律の目的）

第一条　この法律は、精神障害者等の医療及び保護を行い、その社会復帰を促進し、並びにその発生の予防その他国民の精神的健康の保持及び増進に努めることによつて、精神障害者等の福祉の増進及び国民の精神保健の向上を図ることを目的とする。

（国及び地方公共団体の義務）

第二条　国及び地方公共団体は、医療施設、社会復帰施設その他の福祉施設及び教育施設を充実することによつて精神障害者等が社会生活に適応することができるように努力するとともに、精神保健に関する調査研究の推進及び知識の普及を図る等精神障害者等の発生の予防その他国民の精神保健の向上のための施策を講じなければならない。

（国民の義務）

第二条の二　国民は、精神的健康の保持及び増進に努めるとともに、精神障害者等に対する理解を深め、及び精神障害者等がその障害を克服し、社会復帰をしようとする努力に対し、協力するように努めなければならない。

（定義）

第三条　この法律で「精神障害者」とは、精神病者（中毒性精神病者を含む。）、精神薄弱者及び精神病質者をいう。

第二章　施設

（都道府県立精神病院）

第四条　都道府県は、精神病院を設置しなければならない。但し、第五条の規定による指定病院がある場合においては、その設置を延期することができる。

（指定病院）

第五条　都道府県知事は、国及び都道府県以外の者が設置した精神病院又は精神病院以外の病院に設けられている精神病室の全部又は一部を、その設置者の同意を得て、都道府県が設置する精神病院に代る施設（以下「指定病院」という。）として指定することができる。

（国の補助）

第六条　国は、都道府県が設置する精神病院及び精神病院以外の病院に設ける精神病室の設置及び運営（第三〇条の規定による場合を除く。）に要する経費に対して、政令の定めるところにより、その二分の一を補助する。

第六条の二　国は、営利を目的としない法人が設置する精神病院及び精神病院以外の病院に設ける精神病室の設置及び運営に要する経費に対して、政令の定めるところにより、その二分の一以内を補助することができる。

（精神保健センター）

第七条　①　都道府県は、精神保健の向上を図るため、精神保健センターを設置することができる。

②　精神保健センターは、精神保健に関する知識の普及を図り、精神保健に関する調査研究を行い、並びに精神保健に関する相談及び指導のうち複雑又は困難なものを行う施設とする。

（国の補助）

第八条　国は、都道府県が前条の施設を設置したときは、政令の定めるところにより、その設置に要する経費については二分の一、その運営に要する経費については三分の一を補助する。

（精神障害者社会復帰施設の設置）

第九条　①　都道府県は、精神障害者（精神薄弱者を除く。次項及び次条において同じ。）の社会復帰の促進を図るため、精神障害者社会復帰施設を設置することができる。

②　市町村、社会福祉法人その他の者は、精神障害者の社会復帰の促進を図るため、社会福祉事業法（昭和二六年法律第四五号）の定めるところにより、精神障害者社会復帰施設を設置することができる。

（精神障害者社会復帰施設の種類）

第一〇条　①　精神障害者社会復帰施設の種類は、次のとおりとする。

一　精神障害者生活訓練施設

二　精神障害者授産施設

②　精神障害者生活訓練施設は、精神障害のため家庭において日常生活を営むのに支障がある精神障害者が日常生活に適応することができるように、低額な料金で、居室その他の設備を利用させ、必要な訓練及び指導を行うことにより、その者の社会復帰の促進を図ることを目的とする施設とする。

③　精神障害者授産施設は、雇用されることが困難な精神障害者が自活することができるように、低額な料金で、必要な訓練を行い、及び職業を与えることにより、その者の社会復帰の促進を図ることを目的とする施設とする。

（国又は都道府県の補助）

第一〇条の二　①　都道府県は、精神障害者社会復帰施設の設置者に対し、その設置及び運営に要する費用の一部を補助することができる。

② 国は、予算の範囲内において、都道府県に対し、その設置する精神障害者社会復帰施設の設置及び運営に要する費用並びに前項の規定による補助に要した費用の一部を補助することができる。

（指定の取消し）

第一一条 ① 都道府県知事は、指定病院の運営方法がその目的遂行のために不適当であると認めたときは、その指定を取り消すことができる。

② 都道府県知事は、前項の規定によりその指定を取り消そうとするときは、あらかじめ、指定病院の設置者にその取消しの理由を通知し、弁明及び有利な証拠の提出の機会を与えるとともに、地方精神保健審議会の意見を聴かなければならない。

（政令への委任）

第一二条 この法律に定めるもののほか、都道府県の設置する精神病院及び精神保健センターに関して必要な事項は、政令で定める。

第三章 地方精神保健審議会及び精神医療審査会

（地方精神保健審議会）

第一三条 ① 精神保健に関する事項を調査審議させるため、都道府県に地方精神保健審議会を置く。

② 地方精神保健審議会は、都道府県知事の諮問に答えるほか、精神保健に関する事項に関して都道府県知事に意見を具申することができる。

③ 地方精神保健審議会は、前二項に定めるもののほか、都道府県知事の諮問に応じ、第三二条第三項の申請に関する必要な事項を審議するものとする。

（委員及び臨時委員）

第一四条 ① 地方精神保健審議会の委員は、一五人以内とする。

② 特別の事項を調査審議するため必要があるときは、地方精神保健審議会に臨時委員を置くことができる。

③ 委員及び臨時委員は、精神保健に関し学識経験のある者及び精神障害者の医療に関する事業に従事する者のうちから、都道府県知事が任命する。

④ 委員の任期は、三年とする。

第一五条及び第一六条　削除

（条例への委任）

第一七条　地方精神保健審議会の運営に関し必要な事項は、条例で定める。

（精神医療審査会）

第一七条の二　第三八条の三第二項及び第三八条の五第二項の規定による審査を行わせるため、都道府県に、精神医療審査会を置く。

（委員）

第一七条の三　① 精神医療審査会の委員は、五人以上一五人以内とする。

② 委員は、精神障害者の医療に関し学識経験を有する者（第一八条第一項に規定する精神保健指定医である者に限る。）、法律に関し学識経験を有する者及びその他の学識経験を有する者のうちから、都道府県知事が任命する。

③ 委員の任期は、二年とする。

（審査の案件の取扱い）

第一七条の四　① 精神医療審査会は、精神障害者の医療に関し学識経験を有する者のうちから任命された委員三人、法律に関し学識経験を有する者のうちから任命された委員一人及びその他の学識経験を有する者のうちから任命された委員一人をもつて構成する合議体で、審査の案件を取り扱う。

② 合議体を構成する委員は、精神医療審査会がこれを定める。

（政令への委任）

第一七条の五　この法律で定めるもののほか、精神医療審査会に関し必要な事項は、政令で定める。

第四章　精神保健指定医

（精神保健指定医）

第一八条　①　厚生大臣は、その申請に基づき、次に該当する医師のうち第一九条の四に規定する職務を行うのに必要な知識及び技能を有すると認められる者を、精神保健指定医（以下「指定医」という。）に指定する。

一　五年以上診断又は治療に従事した経験を有すること。

二　三年以上精神障害の診断又は治療に従事した経験を有すること。

三　厚生大臣が定める精神障害につき厚生大臣が定める程度の診断又は治療に従事した経験を有すること。

四　厚生大臣又はその指定する者が厚生省令で定めるところにより行う研修（申請前一年以内に行われたものに限る。）の課程を修了していること。

②　厚生大臣は、前項の規定にかかわらず、第一九条の二第一項又は第二項の規定により指定医の指定を取り消された後五年を経過していない者その他指定医として著しく不適当と認められる者については、前項の指定をしないことができる。

③　厚生大臣は、第一項第三号に規定する精神障害及びその診断又は治療に従事した経験の程度を定めようとするとき、同項の規定により指定医の指定をしようとするとき又は前項の規定により指定医の指定をしないものとするときは、あらかじめ、公衆衛生審議会の意見を聴かなければならない。

（指定後の研修）

第一九条 指定医は、五年ごとに、厚生大臣又はその指定する者が厚生省令で定めるところにより行う研修を受けなければならない。

（指定の取消し）

第一九条の二 ① 指定医がその医師免許を取り消され、又は期間を定めて医業の停止を命ぜられたときは、厚生大臣は、その指定を取り消さなければならない。

② 指定医がこの法律若しくはこの法律に基づく命令に違反したとき又はその職務に関し著しく不当な行為を行つたときその他指定医として著しく不適当と認められるときは、厚生大臣は、その指定を取り消すことができる。

③ 厚生大臣は、前項の規定による処分をしようとするときは、あらかじめ、その相手方にその処分の理由を通知し、弁明及び有利な証拠の提出の機会を与えるとともに、公衆衛生審議会の意見を聴かなければならない。

（手数料）

第一九条の三 第一八条第一項第四号又は第一九条の研修（厚生大臣が行うものに限る。）を受けようとする者は、実費を勘案して政令で定める金額の手数料を納付しなければならない。

（職務）

第一九条の四 ① 指定医は、第二二条の三第三項及び第二九条の五の規定により入院を継続する必要があるかどうかの判定、第三三条第一項及び第三三条の四第一項の規定による入院を必要とするかどうかの判定、第三四条の規定により精神障害者の疑いがあるかどうか及びその診断に相当の時日を要するかどうかの判定、第三六条第三項に規定する行動の制限を必要とするかどうかの判定、第三八条の二第一項（同条第二項において準用する場合を含む。）に規定する報告事項に係る入院中の者の診察並びに第四〇条の規定により一時退院させて経過を見ることが適当かどうかの判定の職務を行う。

② 指定医は、前項に規定する職務のほか、公務員として、次に掲げる職務のうち都道府県知事（第三号及び第四号に掲げる職務にあつては、厚生大臣又は都道府県知事）が指定したものを行う。

一　第二九条第一項及び第二九条の二第一項の規定による入院を必要とするかどうかの判定

二　第二九条の四第二項の規定により入院を継続する必要があるかどうかの判定

三　第三八条の六第一項の規定による立入検査、質問及び診察

四　第三八条の七第二項の規定により入院を継続する必要があるかどうかの判定

（政令及び省令への委任）

第一九条の五　この法律に規定するもののほか、指定医の指定の申請に関して必要な事項は政令で、第一八条第一項第四号及び第一九条の規定による研修に関して必要な事項は厚生省令で定める。

第五章　医療及び保護

（保護義務者）

第二〇条　① 精神障害者については、その後見人、配偶者、親権を行う者及び扶養義務者が保護義務者となる。但し、左の各号の一に該当する者は保護義務者とならない。

一　行方の知れない者

二　当該精神障害者に対して訴訟をしている者、又はした者並びにその配偶者及び直系血族

三　家庭裁判所で免ぜられた法定代理人又は保佐人

四　破産者

五　禁治産者及び準禁治産者
六　未成年者

② 保護義務者が数人ある場合において、その義務を行うべき順位は、左の通りとする。但し、本人の保護のため特に必要があると認める場合には、後見人以外の者について家庭裁判所は利害関係人の申立によりその順位を変更することができる。
一　後見人
二　配偶者
三　親権を行う者
四　前二号の者以外の扶養義務者のうちから家庭裁判所が選任した者

③ 前項但書の規定による順位の変更及び同項第四号の規定による選任は家事審判法（昭和二二年法律第一五二号）の適用については、同法第九条第一項甲類に掲げる事項とみなす。

第二一条　前条第二項各号の保護義務者がないとき又はこれらの保護義務者がその義務を行うことができないときはその精神障害者の居住地を管轄する市町村長（特別区の長を含む。以下同じ。）、居住地がないか又は明らかでないときはその精神障害者の現在地を管轄する市町村長が保護義務者となる。

第二二条　① 保護義務者は、精神障害者に治療を受けさせるとともに、精神障害者が自身を傷つけ又は他人に害を及ぼさないように監督し、且つ、精神障害者の財産上の利益を保護しなければならない。

② 保護義務者は、精神障害者の診断が正しく行われるよう医師に協力しなければならない。

③ 保護義務者は、精神障害者に医療を受けさせるに当つては、医師の指示に従わなければならない。

（任意入院）

第二二条の二　精神病院（精神病院以外の病院で精神病

室が設けられているものを含む。以下同じ。）の管理者は、精神障害者を入院させる場合においては、本人の同意に基づいて入院が行われるように努めなければならない。

第二二条の三　①　精神障害者が自ら入院する場合においては、精神病院の管理者は、その入院に際し、当該精神障害者に対して第三八条の四の規定による退院等の請求に関することその他厚生省令で定める事項を書面で知らせ、当該精神障害者から自ら入院する旨を記載した書面を受けなければならない。

②　精神病院の管理者は、自ら入院した精神障害者（以下この条において「任意入院者」という。）から退院の申出があつた場合においては、その者を退院させなければならない。

③　前項に規定する場合において、精神病院の管理者は、指定医による診察の結果、当該任意入院者の医療及び保護のため入院を継続する必要があると認めたときは、同項の規定にかかわらず、七二時間を限り、その者を退院させないことができる。この場合において、当該指定医は、遅滞なく、厚生省令で定める事項を診療録に記載しなければならない。

④　精神病院の管理者は、前項の規定による措置を採る場合においては、当該任意入院者に対し、当該措置を採る旨、第三八条の四の規定による退院等の請求に関することその他厚生省令で定める事項を書面で知らせなければならない。

（診察及び保護の申請）

第二三条　①　精神障害者又はその疑いのある者を知つた者は、誰でも、その者について指定医の診察及び必要な保護を都道府県知事に申請することができる。

②　前項の申請をするには、左の事項を記載した申請書をもよりの保健所長を経て都道府県知事に提出しなけ

ればならない。

一　申請者の住所、氏名及び生年月日

二　本人の現在場所、居住地、氏名、性別及び生年月日

三　症状の概要

四　現に本人の保護の任に当つている者があるときはその者の住所及び氏名

（警察官の通報）

第二四条　警察官は、職務を執行するに当たり、異常な挙動その他周囲の事情から判断して、精神障害のために自身を傷つけ又は他人に害を及ぼすおそれがあると認められる者を発見したときは、直ちに、その旨を、もよりの保健所長を経て都道府県知事に通報しなければならない。

（検察官の通報）

第二五条　検察官は、精神障害者又はその疑いのある被疑者又は被告人について、不起訴処分をしたとき、裁判（懲役、禁こ又は拘留の刑を言い渡し執行猶予の言渡をしない裁判を除く。）が確定したとき、その他特に必要があると認めたときは、すみやかに、その旨を都道府県知事に通報しなければならない。

（保健観察所の長の通報）

第二五条の二　保護観察所の長は、保護観察に付されている者が精神障害者又はその疑いのある者であることを知つたときは、すみやかに、その旨を都道府県知事に通報しなければならない。

（矯正施設の長の通報）

第二六条　矯正施設（拘置所、刑務所、少年刑務所、少年院、少年鑑別所及び婦人補導院をいう。以下同じ。）の長は、精神障害者又はその疑のある収容者を釈放、退院又は退所させようとするときは、あらかじめ、左の事項を本人の帰住地（帰住地がない場合は当

該矯正施設の所在地）の都道府県知事に通報しなければならない。

一　本人の帰住地、氏名、性別及び生年月日
二　症状の概要
三　釈放、退院又は退所の年月日
四　引取人の住所及び氏名

（精神病院の管理者の届出）

第二六条の二　精神病院の管理者は、入院中の精神障害者であつて、第二九条第一項の要件に該当すると認められるものから退院の申出があつたときは、直ちに、その旨を、最寄りの保健所長を経て都道府県知事に届け出なければならない。

（申請等に基づき行われる指定医の診察等）

第二七条　①　都道府県知事は、第二三条から前条までの規定による申請、通報又は届出のあつた者について調査の上必要があると認めるときは、その指定する指定医をして診察をさせなければならない。

②　都道府県知事は、入院させなければ精神障害のために自身を傷つけ又は他人に害を及ぼすおそれがあることが明らかである者については、第二三条から前条までの規定による申請、通報又は届出がない場合においても、その指定する指定医をして診察をさせることができる。

③　都道府県知事は、前二項の規定により診察をさせる場合には、当該職員を立ち会わせなければならない。

④　指定医及び前項の当該職員は、前三項の職務を行うに当たつて必要な限度においてその者の居住する場所へ立ち入ることができる。

⑤　前項の規定によつてその者の居住する場所へ立ち入る場合には、指定医及び当該職員は、その身分を示す証票を携帯し、関係人の請求があるときはこれを提示しなければならない。

⑥　第四項の立入りの権限は、犯罪捜査のために認められたものと解釈してはならない。

（診察の通知）

第二八条　①　都道府県知事は、前条第一項の規定により診察をさせるに当つて現に本人の保護の任に当つている者がある場合には、あらかじめ、診察の日時及び場所をその者に通知しなければならない。

②　後見人、親権を行う者、配偶者その他現に本人の保護の任に当つている者は、前条第一項の診察に立ち会うことができる。

（判定の基準）

第二八条の二　①　第二七条第一項又は第二項の規定により診察をした指定医は、厚生大臣の定める基準に従い、当該診察をした者が精神障害者であり、かつ、医療及び保護のために入院させなければその精神障害のために自身を傷つけ又は他人に害を及ぼすおそれがあるかどうかの判定を行わなければならない。

②　厚生大臣は、前項の基準を定めようとするときは、あらかじめ、公衆衛生審議会の意見を聴かなければならない。

（都道府県知事による入院措置）

第二九条　①　都道府県知事は、第二七条の規定による診察の結果、その診察を受けた者が精神障害者であり、且つ、医療及び保護のために入院させなければその精神障害のために自身を傷つけ又は他人に害を及ぼすおそれがあると認めたときは、その者を国若しくは都道府県の設置した精神病院又は指定病院に入院させることができる。

②　前項の場合において都道府県知事がその者を入院させるには、その指定する二人以上の指定医の診察を経て、その者が精神障害者であり、かつ、医療及び保護のために入院させなければその精神障害のために自身

を傷つけ又は他人に害を及ぼすおそれがあると認めることについて、各指定医の診察の結果が一致した場合でなければならない。

③　都道府県知事は、第一項の規定による措置を採る場合においては、当該精神障害者に対し、当該入院措置を採る旨、第三八条の四の規定による退院等の請求に関することその他厚生省令で定める事項を書面で知らせなければならない。

④　国又は都道府県の設置した精神病院及び指定病院の管理者は、病床（病院の一部について第五条の指定を受けている指定病院にあつてはその指定に係る病床）に既に第一項又は次条第一項の規定により入院をさせた者がいるため余裕がない場合のほかは、第一項の精神障害者を収容しなければならない。

⑤　この法律施行の際、現に精神病院法（大正八年法律第二五号）第二条の規定によつて入院中の者は、第一項の規定によつて入院したものとみなす。

第二九条の二　①　都道府県知事は、前条第一項の要件に該当すると認められる精神障害者又はその疑いのある者について、急速を要し、第二七条、第二八条及び前条の規定による手続を採ることができない場合において、その指定する指定医をして診察をさせた結果、その者が精神障害者であり、かつ、直ちに入院させなければその精神障害のために自身を傷つけ又は他人を害するおそれが著しいと認めたときは、その者を前条第一項に規定する精神病院又は指定病院に入院させることができる。

②　都道府県知事は、前項の措置をとつたときは、すみやかに、その者につき、前条第一項の規定による入院措置をとるかどうかを決定しなければならない。

③　第一項の規定による入院の期間は、七二時間を超えることができない。

④　第二七条第四項から第六項まで及び第二八条の二の規定は第一項の規定による診察について、前条第三項の規定は第一項の規定による措置を採る場合について、同条第四項の規定は第一項の規定により入院する者の収容について準用する。

第二九条の三　第二九条第一項に規定する精神病院又は指定病院の管理者は、前条第一項の規定により入院した者について、都道府県知事から、第二九条第一項の規定による入院措置をとらない旨の通知を受けたとき、又は前条第三項の期間内に第二九条第一項の規定による入院措置をとる旨の通知がないときは、直ちに、その者を退院させなければならない。

（入院措置の解除）

第二九条の四　①　都道府県知事は、第二九条第一項の規定により入院した者（以下「措置入院者」という。）が、入院を継続しなくてもその精神障害のために自身を傷つけ又は他人に害を及ぼすおそれがないと認められるに至つたときは、直ちに、その者を退院させなければならない。この場合においては、都道府県知事は、あらかじめ、その者を収容している精神病院又は指定病院の管理者の意見を聞くものとする。

②　前項の場合において都道府県知事がその者を退院させるには、その者が入院を継続しなくてもその精神障害のために自身を傷つけ又は他人に害を及ぼすおそれがないと認められることについて、その指定する指定医による診察の結果又は次条の規定による診察の結果に基づく場合でなければならない。

第二九条の五　措置入院者を収容している精神病院又は指定病院の管理者は、指定医による診察の結果、措置入院者が、入院を継続しなくてもその精神障害のために自身を傷つけ又は他人に害を及ぼすおそれがないと認められるに至つたときは、直ちに、その旨、その者の症状その他厚生省令で定める事項を最寄りの保健所長を経て都道府県知事に届け出なければならない。

（入院措置の場合の診療方針及び医療に要する費用の額）

第二九条の六　①　第二九条第一項及び第二九条の二第一項の規定により入院する者について国若しくは都道府県の設置した精神病院又は指定病院が行なう医療に関する診療方針及びその医療に要する費用の額の算定方法は、健康保険の診療方針及び療養に要する費用の額の算定方法の例による。

②　前項に規定する診療方針及び療養に要する費用の額の算定方法の例によることができないとき、及びこれによることを適当としないときの診療方針及び医療に要する費用の額の算定方法は、厚生大臣が公衆衛生審議会の意見を聴いて定めるところによる。

（社会保険診療報酬支払基金への事務の委託）

第二九条の七　都道府県は、第二九条第一項及び第二九条の二第一項の規定により入院する者について国若しくは都道府県の設置した精神病院又は指定病院が行なつた医療が前条に規定する診療方針に適合するかどうかについての審査及びその医療に要する費用の額の算定並びに国又は指定病院の設置者に対する診療報酬の支払に関する事務を社会保険診療報酬支払基金に委託することができる。

（費用の支弁及び負担）

第三〇条　①　第二九条第一項及び第二九条の二第一項の規定により都道府県知事が入院させた精神障害者の入院に要する費用は、都道府県の支弁とする。

②　国は、前項の規定により都道府県が支弁した経費に対し、政令の定めるところにより、その一〇分の八を負担する。

（費用の徴収）

第三一条　都道府県知事は、第二九条第一項及び第二九条の二第一項の規定により入院させた精神障害者又はその扶養義務者が入院に要する費用を負担することができると認めたときは、その費用の全部又は一部を徴収することができる。

（一般患者に対する医療）

第三二条　①　都道府県は、精神障害の適性な医療を普及するため、精神障害者が健康保険法（大正一一年法律第七〇号）第四三条第三項各号に掲げる病院若しくは診療所又は薬局その他政令で定める病院若しくは診療所又は薬局（その開設者が、診療報酬の請求及び支払に関し次条に規定する方式によらない旨を都道府県知事に申し出たものを除く。）で病院又は診療所へ収容しないで行なわれる精神障害の医療を受ける場合において、その医療に必要な費用の二分の一を負担することができる。

②　前項の医療に必要な費用の額は、健康保険の療養に要する費用の額の算定方法の例によつて算定する。

③　第一項の規定による費用の負担は、当該精神障害者又はその保護義務者の申請によつて行なうものとし、その申請は、精神障害者の居住地を管轄する保健所長を経て、都道府県知事に対してしなければならない。

④　都道府県知事は、前項の申請に対して決定をするには、地方精神保健審議会の意見を聴かなければならない。

⑤　第三項の申請があつてから六月を経過したときは、当該申請に基づく費用の負担は、打ち切られるものとする。

⑥　戦傷病者特別援護法（昭和三八年法律第一六八号）の規定によつて医療を受けることができる者については、第一項の規定は、適用しない。

（費用の請求、審査及び支払）

第三二条の二　①　前条第一項の病院若しくは診療所又は薬局は、同項の規定により都道府県が負担する費用を、都道府県に請求するものとする。

②　都道府県は、前項の費用を当該病院若しくは診療所又は薬局に支払わなければならない。

③　都道府県は、第一項の請求についての審査及び前項の費用の支払に関する事務を、社会保険診療報酬支払基金その他政令で定める者に委託することができる。

（費用の支弁及び負担）

第三二条の三　国は、都道府県が第三二条第一項の規定により負担する費用を支弁したときは、当該都道府県に対し、政令で定めるところにより、その二分の一を補助する。

（他の法律による医療に関する給付との調整）

第三二条の四　①　第三二条第一項の規定により費用の負担を受ける精神障害者が、健康保険法、国民健康保険法（昭和三三年法律第一九二号）、船員保険法（昭和一四年法律第七三号）、労働者災害補償保険法（昭和二二年法律第五〇号）、国家公務員等共済組合法（昭和三三年法律一二八号）、地方公務員等共済組合法（昭和三七年法律第一五二号）又は私立学校教職員共済組合法（昭和二八年法律第二四五号）の規定による被保険者、労働者、組合員又は被扶養者である場合においては、保険者若しくは共済組合又は市町村（特別区を含む。）は、これらの法律又は老人保健法（昭和五七年法律第八〇号）の規定によつてすべき給付のうち、その医療に要する費用の二分の一を超える部分については、給付をすることを要しない。

②　第三二条第一項の規定により費用の負担を受ける精神障害者が、生活保護法（昭和二五年法律第一四四号）の規定による医療扶助を受けることができる者であるときは、その医療に要する費用は、都道府県が同

項の規定によりその二分の一を負担し、その残部につき同法の適用があるものとする。

（医療保護入院）

第三三条 ① 精神病院の管理者は、指定医による診察の結果、精神障害者であり、かつ、医療及び保護のため入院の必要があると認めた者につき、保護義務者の同意があるときは、本人の同意がなくてもその者を入院させることができる。

② 精神病院の管理者は、前項に規定する者の保護義務者について第二〇条第二項第四号の規定による家庭裁判所の選任を要し、かつ、当該選任がされていない場合において、その者の扶養義務者の同意があるときは、本人の同意がなくても、当該選任がされるまでの間、四週間を限り、その者を入院させることができる。

③ 前項の規定による入院が行われている間は、同項の同意をした扶養義務者は、第二〇条第二項第四号に掲げる者に該当するものとみなし、第一項の規定を適用する場合を除き、同条に規定する保護義務者とみなす。

④ 精神病院の管理者は、第一項又は第二項の規定による措置を採つたときは、一〇日以内に、その者の症状その他厚生省令で定める事項を当該入院について同意をした者の同意書を添え、最寄りの保健所長を経て都道府県知事に届け出なければならない。

第三三条の二 精神病院の管理者は、前条第一項の規定により入院した者（以下「医療保護入院者」という。）を退院させたときは、一〇日以内に、その旨及び厚生省令で定める事項を最寄りの保健所長を経て都道府県知事に届け出なければならない。

第三三条の三 精神病院の管理者は、第三三条第一項又は第二項の規定による措置を採る場合においては、当該精神障害者に対し、当該入院措置を採る旨、第三八条の四の規定による退院等の請求に関することその他厚生省令で定める事項を書面で知らせなければならない。ただし、当該精神障害者の症状に照らし、その者の医療及び保護を図る上で支障があると認められる間においては、この限りでない。この場合において、精神病院の管理者は、遅滞なく、厚生省令で定める事項を診療録に記載しなければならない。

（応急入院）

第三三条の四　①　厚生大臣の定める基準に適合するものとして都道府県知事が指定する精神病院の管理者は、医療及び保護の依頼があつた者について、急速を要し、保護義務者（第三三条第二項に規定する場合にあつては、その者の扶養義務者）の同意を得ることができない場合において、指定医の診察の結果、その者が精神障害者であり、かつ、直ちに入院させなければその者の医療及び保護を図る上で著しく支障があると認めたときは、本人の同意がなくても、七二時間を限り、その者を入院させることができる。

②　前項に規定する精神病院の管理者は、同項の規定による措置を採つたときは、直ちに、当該措置を採つた理由その他厚生省令で定める事項を最寄りの保健所長を経て都道府県知事に届け出なければならない。

③　都道府県知事は、第一項の指定を受けた精神病院が同項の基準に適合しなくなつたと認めたときは、その指定を取り消すことができる。

第三三条の五　第一一条第二項の規定は前条第三項の規定による処分をする場合について、第二九条第三項の規定は精神病院の管理者が前条第一項の規定による措置を採る場合について準用する。

（仮入院）

第三四条　精神病院の管理者は、指定医による診察の結果、精神障害者の疑いがあつてその診断に相当の時日を要すると認める者を、その後見人、配偶者又は親権を行う者その他その扶養義務者の同意がある場合には、本人の同意がなくても、三週間を超えない期間、仮に精神病院へ入院させることができる。

第三四条の二　第二九条第三項の規定は精神病院の管理者が前条の規定による措置を採る場合について、第三三条第四項の規定は精神病院の管理者が前条の規定による措置を採つた場合について準用する。

（家庭裁判所の許可）

第三五条　第三三条第一項又は第三四条の同意者が後見人である場合においてその同意をするには、民法（明治二九年法律第八九号）第八五八条第二項の規定の適用を除外するものではない。

（処遇）

第三六条　①　精神病院の管理者は、入院中の者につき、その医療又は保護に欠くことのできない限度において、その行動について必要な制限を行うことができる。

②　精神病院の管理者は、前項の規定にかかわらず、信書の発受の制限、都道府県その他の行政機関の職員との面会の制限その他の行動の制限であつて、厚生大臣があらかじめ公衆衛生審議会の意見を聴いて定める行動の制限については、これを行うことができない。

③　第一項の規定による行動の制限のうち、厚生大臣があらかじめ公衆衛生審議会の意見を聴いて定める患者の隔離その他の行動の制限は、指定医が必要と認める場合でなければ行うことができない。この場合において、当該指定医は、遅滞なく、厚生省令で定める事項を診療録に記載しなければならない。

第三七条　①　厚生大臣は、前条に定めるもののほか、精神病院に入院中の者の処遇について必要な基準を定めることができる。

②　前項の基準が定められたときは、精神病院の管理者は、その基準を遵守しなければならない。

③　厚生大臣は、第一項の基準を定めようとするときは、あらかじめ、公衆衛生審議会の意見を聴かなければならない。

（相談、援助等）

第三八条　精神病院の管理者は、入院中の者の社会復帰の促進を図るため、その者の相談に応じ、その者に必要な援助を行い、及びその保護義務者等との連絡調整を行うように努めなければならない。

（定期の報告）

第三八条の二　①　措置入院者を収容している精神病院又は指定病院の管理者は、措置入院者の症状その他厚生省令で定める事項（以下この項において「報告事項」という。）を、厚生省令で定めるところにより、定期に、最寄りの保健所長を経て都道府県知事に報告しなければならない。この場合においては、報告事項のうち厚生省令で定める事項については、指定医による診察の結果に基づくものでなければならない。

②　前項の規定は、医療保護入院者を入院させている精神病院の管理者について準用する。この場合において、同項中「措置入院者」とあるのは、「医療保護入院者」と読み替えるものとする。

（定期の報告等による審査）

第三八条の三　①　都道府県知事は、前条の規定による報告又は第三三条第四項の規定による届出（同条第一項の規定による措置に係るものに限る。）があつたときは、当該報告又は届出に係る入院中の者の症状その他厚生省令で定める事項を精神医療審査会に通知し、当該入院中の者についてその入院の必要があるかどうかに関し審査を求めなければならない。

②　精神医療審査会は、前項の規定により審査を求められたときは、当該審査に係る入院中の者についてその入院の必要があるかどうかに関し審査を行い、その結

果を都道府県知事に通知しなければならない。

③　精神医療審査会は、前項の審査をするに当たつて必要があると認めるときは、当該審査に係る入院中の者、その者が入院している精神病院の管理者その他関係者の意見を聴くことができる。

④　都道府県知事は、第二項の規定により通知された精神医療審査会の審査の結果に基づき、その入院が必要でないと認められた者を退院させ、又は精神病院の管理者に対しその者を退院させることを命じなければならない。

（退院等の請求）

第三八条の四　精神病院に入院中の者又はその保護義務者（第三四条の規定により入院した者にあつては、その後見人、配偶者又は親権を行う者その他その扶養義務者）は、厚生省令で定めるところにより、都道府県知事に対し、当該入院中の者を退院させ、又は精神病院の管理者に対し、その者を退院させることを命じ、若しくはその者の処遇の改善のために必要な措置を採ることを命じることを求めることができる。

（退院等の請求による審査）

第三八条の五　①　都道府県知事は、前条の規定による請求を受けたときは、当該請求の内容を精神医療審査会に通知し、当該請求に係る入院中の者について、その入院の必要があるかどうか、又はその処遇が適当であるかどうかに関し審査を求めなければならない。

②　精神医療審査会は、前項の規定により審査を求められたときは、当該審査に係る者について、その入院の必要があるかどうか、又はその処遇が適当であるかどうかに関し審査を行い、その結果を都道府県知事に通知しなければならない。

③　精神医療審査会は、前項の審査をするに当たつては、当該審査に係る前条の規定による請求をした者及び当

該審査に係る入院中の者が入院している精神病院の管理者の意見を聴かなければならない。ただし、精神医療審査会がこれらの者の意見を聴く必要がないと特に認めたときは、この限りでない。

④　精神医療審査会は、前項に定めるもののほか、第二項の審査をするに当たつて必要があると認めるときは、関係者の意見を聴くことができる。

⑤　都道府県知事は、第二項の規定により通知された精神医療審査会の審査の結果に基づき、その入院が必要でないと認められた者を退院させ、又は当該精神病院の管理者に対しその者を退院させることを命じ若しくはその者の処遇の改善のために必要な措置を採ることを命じなければならない。

⑥　都道府県知事は、前条の規定による請求をした者に対し、当該請求に係る精神医療審査会の審査の結果及びこれに基づき採つた措置を通知しなければならない。

（報告徴収等）

第三八条の六　①　厚生大臣又は都道府県知事は、必要があると認めるときは、精神病院の管理者に対し、当該精神病院に入院中の者の症状若しくは処遇に関し、報告を求め、若しくは診療録その他の帳簿書類の提出若しくは提示を命じ、当該職員若しくはその指定する指定医に、精神病院に立ち入り、これらの事項に関し、診療録その他の帳簿書類を検査させ、若しくは当該精神病院に入院中の者その他の関係者に質問させ、又はその指定する指定医に、精神病院に立ち入り、当該精神病院に入院中の者を診察させることができる。

②　厚生大臣又は都道府県知事は、必要があると認めるときは、精神病院の管理者、精神病院に入院中の者又は第三三条第一項若しくは第二項若しくは第三四条の規定による入院について同意をした者に対し、この法律による入院に必要な手続に関し、報告を求め、又は

帳簿書類の提出若しくは提示を命じることができる。
③　第二七条第五項及び第六項の規定は、第一項の規定による立入検査、質問又は診察について準用する。

（改善命令等）

第三八条の七　①　厚生大臣又は都道府県知事は、精神病院に入院中の者の処遇が第三六条の規定に違反していると認めるとき又は第三七条第一項の基準に適合していないと認めるときその他精神病院に入院中の者の処遇が著しく適当でないと認めるときは、当該精神病院の管理者に対し、その処遇の改善のために必要な措置を採ることを命ずることができる。
②　厚生大臣又は都道府県知事は、必要があると認めるときは、第二二条の三第三項の規定により入院している者又は第三三条第一項若しくは第二項、第三三条の四第一項若しくは第三四条の規定により入院した者について、その指定する二人以上の指定医に診察させ、各指定医の診察の結果がその入院を継続する必要があることに一致しない場合又はこれらの者の入院がこの法律若しくはこの法律に基づく命令に違反して行われた場合には、これらの者が入院している精神病院の管理者に対し、その者を退院させることを命ずることができる。

（無断退去者に対する措置）

第三九条　①　精神病院の管理者は、入院中の者で自身を傷つけ又は他人に害を及ぼすおそれのあるものが無断で退去しその行方が不明になつたときは、所轄の警察署長に左の事項を通知してその探索を求めなければならない。
一　退去者の住所、氏名、性別及び生年月日
二　退去の年月日及び時刻
三　症状の概要
四　退去者を発見するために参考となるべき人相、服

　装その他の事項
五　入院年月日
六　保護義務者又はこれに準ずる者の住所及び氏名
②　警察官は、前項の探索を求められた者を発見したときは、直ちに、その旨を当該精神病院の管理者に通知しなければならない。この場合において、警察官は、当該精神病院の管理者がその者を引き取るまでの間、二四時間を限り、その者を、警察署、病院、救護施設等の精神障害者を保護するのに適当な場所に、保護することができる。

（仮退院）

第四〇条　第二九条第一項に規定する精神病院又は指定病院の管理者は、指定医による診察の結果、措置入院者の症状に照らしその者を一時退院させて経過を見ることが適当であると認めるときは、都道府県知事の許可を得て、六月を超えない期間を限り仮に退院させることができる。

（保護義務者の引取義務等）

第四一条　保護義務者は、第二九条の三若しくは第二九条の四第一項の規定により退院する者又は前条の規定により仮退院する者を引き取り、かつ、仮退院した者の保護に当たつては当該精神病院又は指定病院の管理者の指示に従わなければならない。

（精神保健に関する業務に従事する職員）

第四二条　①　都道府県及び保健所を設置する市は、保健所に、精神保健に関する相談に応じ、及び精神障害者を訪問して必要な指導を行うための職員を置くことができる。
②　前項の職員は、学校教育法（昭和二二年法律第二六号）に基づく大学において社会福祉に関する科目を修めて卒業した者であつて、精神保健に関する知識及び経験を有するものその他政令で定める資格を有する者

のうちから、都道府県知事又は保健所を設置する市の長が任命する。

（訪問指導）

第四三条　保健所長は、第二七条又は第二九条の二第一項の規定による診察の結果精神障害者であると診断された者で第二九条第一項及び第二九条の二第一項の規定による入院をさせられなかつたもの、第二九条の三又は第二九条の四第一項の規定により退院した者でなお精神障害が続いているものその他精神障害者であつて必要があると認めるものについては、必要に応じ、前条第一項の職員又は都道府県知事若しくは保健所を設置する市の長が指定した医師をして、精神保健に関する相談に応じさせ、及びその者を訪問し精神保健に関する適当な指導をさせなければならない。

第四四条から第四七条まで　削除

（施設以外の収容禁止）

第四八条　精神障害者は、精神病院又はこの法律若しくは他の法律により精神障害者を収容することのできる施設以外の場所に収容してはならない。

（医療及び保護の費用）

第四九条　保護義務者が精神障害者の医療及び保護のために支出する費用は、当該精神障害者又はその扶養義務者が負担する。

（刑事事件に関する手続等との関係）

第五〇条　①　この章の規定は、精神障害者又はその疑いのある者について、刑事事件若しくは少年の保護事件の処理に関する法令の規定による手続を行ない、又は刑若しくは補導処分若しくは保護処分の執行のためこれらの者を矯正施設に収容することを妨げるものではない。

②　第二五条、第二六条及び第二七条の規定を除く外、この章の規定は矯正施設に収容中の者には適用しない。

（覚せい剤の慢性中毒者に対する措置）

第五一条　第一九条の四から前条までの規定は、覚せい剤の慢性中毒者（精神障害者を除く。）又はその疑いのある者について準用する。この場合において、これらの規定中「精神障害」とあるのは「覚せい剤の慢性中毒」と、「精神障害者」とあるのは「覚せい剤の慢性中毒者」と読み替えるものとする。

第六章　罰　則

第五二条　次の各号の一に該当する者は、三年以下の懲役又は五〇万円以下の罰金に処する。

一　第三八条の三第四項（第五一条において準用する場合を含む。）の規定による命令に違反した者

二　第三八条の五第五項（第五一条において準用する場合を含む。）の規定による退院の命令に違反した者

三　第三八条の七第二項（第五一条において準用する場合を含む。）の規定による命令に違反した者

第五三条　①　精神病院の管理者、指定医、地方精神保健審議会の委員若しくは臨時委員、精神医療審査会の委員若しくは第四三条（第五一条において準用する場合を含む。）の規定により都道府県知事若しくは保健所を設置する市の長が指定した医師又はこれらの職にあつた者が、この法律の規定に基づく職務の執行に関して知り得た人の秘密を正当な理由がなく漏らしたときは、一年以下の懲役又は三〇万円以下の罰金に処する。

②　精神病院の職員又はその職にあつた者が、この法律の規定に基づく精神病院の管理者の職務の執行を補助するに際して知り得た人の秘密を正当な理由がなく漏らしたときも、前項と同様とする。

第五四条　虚偽の事実を記載して第二三条第一項（第五

一条において準用する場合を含む。）の申請をした者

は、六月以下の懲役又は二〇万円以下の罰金に処する。

第五五条　次の各号の一に該当する者は、一〇万円以下の罰金に処する。

一　第二七条第一項又は第二項（これらの規定を第五一条において準用する場合を含む。）の規定による診察を拒み、妨げ、若しくは忌避した者又は第二七条第四項（第五一条において準用する場合を含む。）の規定による立入りを拒み、若しくは妨げた者

二　第二九条の二第一項（第五一条において準用する場合を含む。）の規定による診察を拒み、妨げ、若しくは忌避した者又は第二九条の二第四項（第五一条において準用する第二七条第四項の規定による立ち入りを拒み、若しくは妨げた者

三　第三八条の六第一項（第五一条において準用する場合を含む。以下この号において同じ。）の規定による報告若しくは提出若しくは提示をせず、若しくは虚偽の報告をし、同項の規定による検査若しくは診察を拒み、妨げ、若しくは忌避し、又は同項の規定による質問に対して、正当な理由がなく答弁せず、若しくは虚偽の答弁をした者

四　第三八条の六第二項（第五一条において準用する場合を含む。）の規定による報告若しくは提出若しくは提示をせず、又は虚偽の報告をした精神病院の管理者

第五六条　法人の代表者又は法人若しくは人の代理人、使用人その他の従業者が、その法人又は人の業務に関して第五二条又は前条の違反行為をしたときは、行為者を罰するほか、その法人又は人に対しても各本条の罰金刑を科する。

第五七条　次の各号の一に該当する者は、一〇万円以下の過料に処する。

一　第二二条の三第三項後段又は第四項（これらの規定を第五一条において準用する場合を含む。）の規定に違反した者

二　第三三条第四項（第五一条において準用する場合を含む。）の規定に違反した者

三　第三三条の四第二項（第五一条において準用する場合を含む。）の規定に違反した者

四　第三四条の二（第五一条において準用する場合を含む。）において準用する第三三条第四項の規定に違反した者

五　第三八条の二第一項（第五一条において準用する場合を含む。）又は第三八条の二第二項（第五一条において準用する第三八条の二第一項の規定に違反した者

精神医療審査会運営マニュアル

昭和六三年五月一三日
健医発第五七四号局長通知

Ⅰ　基本理念

精神医療審査会（以下「審査会」という。）は、精神障害者の人権に配慮しつつその適正な医療及び保護を確保する観点から新たに設けられたものであり、この運営に当たつては、公正かつ迅速な対応が必要とされるものである。したがつて、審査会の委員はその学識経験に基づき独立してその職務を行うとともに、審査会は、ここに示す運営マニュアルの考え方に沿つて審査会運営規則を定め、適切な運営を確保しなければならないものとする。

Ⅱ　審査会について

審査会の所掌

(1)　合議体を構成する委員を定めること。
合議体を構成する委員を定めるに当たつては、委員の事故等の場合に臨時に合議体を構成する予備的な委員を、あらかじめ他の合議体の委員（合議体を構成しない委員を含む。）のうちから定めておくものとする。この場合、具体的な委員を定める方法のほか、予備的な委員を定める方法を定めておくこともできるものとする。ただし、委員の数は全体で一五名を超えることはできない。

(2)　審査会の運営に関する事項のうち、精神保健法施行令（昭和二五年政令第一五五号）に規定されているもの以外の事項であつて審査に必要な事項を定めること（例えば、複数の合議体が設けられている場合、それぞれの案件を取り扱うシステムを事前に定めておくこと等）。

Ⅲ　合議体について

一　合議体の所掌等

(1)　個別の審査の案件に関してはすべて合議体において取り扱うものとする。

(2)　審査を取り扱った合議体において決定された審査結果をもつて、審査会の審査結果とする。

(3)　複数の合議体を設けて審査会を運営する場合においては、あらかじめ定められた方法により選定された合議体により審査の案件を取り扱うものとする。なお、個別の案件の審査に関して、複数の合議体による合同審査などは行わないものとする。

二　定足数

合議体は、精神障害者の医療に関し学識経験のある者のうちから任命された委員、法律に関し学識経験を有する者のうちから任命された委員及びその他の学識経験を有する者のうちから任命された委員がそれぞれ一人出席すれば議事を開き、議決することができるが、できる限り合議体を構成する五人の委員により審査を行うものとする。

三　議　決

合議体の議事は出席した委員（合議体の長を含む。）の過半数で決するものとされているが、可否同数の場合においては、次回の会議において引き続き審査を行うか、又は、他の合議体において審査するかの方法によるものとする。

四　関係者の排除

(1)　合議体を構成する委員（以下「委員」という。）が、次に掲げるもののいずれかに該当するときは、当該審査に係る議事に加わることができない。

① 委員が、当該審査に係る入院中の者（以下「当該患者」という。）が入院している精神病院の管理者であるとき。

② 委員が、当該患者に係る直近の定期の報告に関して診察を行つた精神保健指定医（入院後、定期の報告を行うべき期間が経過していない場合においては、当該入院に係る診察を行つた精神保健指定医）であるとき。

③ 委員が、当該患者の保護義務者等であるとき。

「保護義務者等」とは、次の者をいう。

・精神保健法（昭和二五年法律第一二三号、以下「法」という。）第三三条第一項の同意を行つた保護義務者

・法第三三条第二項の同意を行つた扶養義務者

・法第三四条の同意を行つた後見人、配偶者又は親権を行う者その他その扶養義務者

④ 委員が、当該患者の配偶者又は三親等内の親族であるとき。

⑤ 委員が、当該患者の法定代理人、後見監督人又は保佐人であるとき。

⑥ 委員が、当該患者又はその保護義務者等の代理人であるとき。

(2) 議事に加わることができない委員であるかどうかの確認については次によるものとする。

① (1)—①・②については、精神病院の管理者（以下「病院管理者」という。）又は精神保健指定医である委員について、あらかじめ所属先の（あるいは診療を行つている）精神病院の名称を申し出てもらい、都道府県において、あらかじめ確認するものとする。（合議体別に地域を分けて担当する等により、できるだけ議事に加わることができない委員が生じないように工夫するものとする。）

② (1)―③〜⑥については、個別の患者の審査ごとに、委員からの申し出により確認するものとする。

(3) 委員は、上記①〜⑥に掲げるもののほか、当該患者と特別の関係がある場合には、それを理由に議事に加わらないことができる。

五 合議体の審査は非公開とする。

Ⅳ 退院等の請求の処理について

一 退院等の請求受理について

(1) 請求者

法第三八条の四に定める者及びその代理人とする。ただし、代理人は弁護士とする。

(2) 請求方法

書面を原則とする。ただし、やむを得ない事情がある場合には、口頭による請求も認められるものとする。

(3) 請求者に対する確認等

都道府県知事は、当該患者が当該病院に入院していること及び請求を行つた者の意思を確認するものとする。また、代理人による請求の場合には、代理権を有することを証する書面を確認するものとする。

二 都道府県知事の行う事前手続きについて

(1) 当該請求を受理したことの関係者への通知

都道府県知事は、速やかに当該請求を受理した旨を請求者、当該患者、保護義務者等及び病院管理者に対し、書面又は口頭により連絡するものとする。ただし、保護義務者等にあつては直ちに連絡先が判明しない場合は、この限りでない。

(2) 都道府県知事の行う事前資料の準備

ア 都道府県知事は、当該患者に関する資料として、以下の書類のうち、請求受理の直近一年以内のものについては当該書類を合議体へ提出できるよう準備するものとする。

① 法第二七条に基づく措置入院時の診断書
② 法第三三条第四項に基づく届出
③ 法第三八条の二に基づく定期の報告
④ 法第三八条の四に基づく退院等の請求に関する資料

イ 都道府県知事は、法第三三条第一項の同意が適正に行われているか、同条第四項に基づく届出が適正に行われているかなど手続的事項については、事前にチェックし、整理表を作成するなどにより、審査の便宜を図るものとする。

ウ また、同一人から同一趣旨の請求が多数ある場合には、審査の円滑な運営ができるよう、事前に十分整理しておくものとする。

三 合議体での審査等について

(1) 合議体での審査

ア 審査を行う委員（一名以上、少なくとも一名は精神医療に関して学識経験を有する委員とする。）は、以下に示した者に面接の上、当該請求に関しての意見聴取を行うものとする。ただし、当該請求受理以前六か月以内に意見聴取を行つている場合においては、この限りでない。また、当該患者の保護義務者等については、遠隔地に居住している等やむを得ない事情にある場合には、書面の提出をもつて面接に代えることができる。

① 当該患者
② 請求者
③ 病院管理者又はその代理人
④ 当該患者の保護義務者等

イ 代理人から意見聴取を行う場合には、当該意見聴取に関して代理権を有することを確認するものとする。

ウ 意見聴取を行うに当たつて、あらかじめ用紙をアに掲げる者に送付し、記載を求めておくものとする。

エ　次の(2)―イによる意見陳述の機会のあることを面接の際にアに掲げる者に対し、伝えなければならない。

オ　アの意見聴取は、審査を迅速に実施する観点から合議体での審査に先だつて行うことができる。この場合、意見聴取を行う委員については、あらかじめ定めておくことができる。

(2)　合議体での審査に関するその他の事項

ア　意見聴取について

審査に当たつては、必要に応じて関係者から意見の聴取を行うことができる。

イ　関係者の意見陳述について

請求者、病院管理者若しくはその代理人及び合議体が認めたその他の者は、合議体の審査の場で意見を陳述することができる。なお、請求者が当該患者である場合には、(1)による意見聴取により十分意見が把握できており、合議体が意見聴取をする必要がないと認めた場合にはこの限りでない。

ウ　合議体における資料の扱いについて

合議体における資料については、これを開示しないものとする。

エ　都道府県知事に対する報告徴収等の要請について

審査を行うに当たつて、特に必要と認める場合には都道府県知事に対して、法第三八条の六に基づく報告徴収等を行うことを要請し、その結果について報告を求めることができる。

(3)　都道府県知事への審査結果の通知

審査会は、審査終了後速やかに都道府県知事に対して、次に示した内容の結果を通知するものとする。

ア　退院の請求の場合

①　引き続き現在の入院形態での入院が必要と認め

られる。

② 他の入院形態への移行が適当と認められる。

③ 入院の継続の必要は認められない。

上記通知には理由の要旨を付すものとする。

なお、別途、審査結果に付して、都道府県知事に対して参考意見を述べることができる（例えば、三か月後に知事による実地審査が望ましい等）。

イ 処遇の改善の請求の場合

① 請求のあつた＿＿＿＿＿＿に関する処遇は適当と認める

② 請求のあつた＿＿＿＿＿＿に関する処遇は適当でない

なお、別途、審査結果に付して、都道府県知事に対して参考意見を述べることができる（例えば、病院管理者の採るべき措置の例示等）。

四 都道府県知事の行う事後処理について

(1) 請求者等に対する結果通知

都道府県知事は、三―(1)―アに掲げる者に対して、速やかに審査の結果及びこれに基づき採つた措置を通知するものとする。

(2) 資料及び記録の保存

審査の資料及び議事内容の記録については、少なくとも三年間は保存するものとする。

(3) その他の事項

合議体での審査の結果、退院等の請求が適当との判断がなされた場合、都道府県知事はおおむね一か月以内に、当該病院管理者が採つた措置を確認するものとする。

五 その他退院等の請求の審査に関して必要な事項

(1) 退院等の請求の審査中に、請求者から請求を取り下げたいとの申し出が書面又は口頭により都道府県知事になされた場合又は当該患者が病院から退院した場合は、都道府県知事はこれを審査会に報告し、これにより審査は終了する。

(2)　退院等の請求が都道府県知事になされた場合、当該患者の入院形態が他の入院形態に変更された場合であつても、その請求は入院形態にかかわらず有効とみなして審査手続きを進めるものとする。

(3)　都道府県知事は、請求を受理してからおおむね一か月、やむをえない事情がある場合においてもおおむね三か月以内に請求者に対し、審査結果を通知するよう努めるものとする。

(4)　処遇の改善の請求のうち、当該請求が法第三六条又は第三七条に基づく厚生大臣の定める処遇の基準その他患者の人権に直接係わる処置に関する請求以外の請求である場合には、上記手続きのうち、二―(2)、三―(1)、三―(2)ア・イを省略し、直ちに審査を行うことができる。

(5)　退院の請求がなされた場合においても、合議体における審査の結果、処遇の改善が必要と判断された場合には、その旨都道府県知事に通知するものとする。

六　当面の暫定措置について

法施行後一年の間においては、退院等の請求が多数なされ、これらすべてに面接による意見聴取を行うことによつて、全体の処理が著しく遅滞するおそれがある場合には、面接による意見聴取を行わないことができるものとするが、この場合においては、あらかじめ三―(1)―アに掲げる者に対して、書面により意見の聴取を行わなければならない。

Ⅴ　定期の報告等の審査について

一　審査を行う合議体について

審査会に複数の合議体が構成されている場合には、報告を病院別に整理し、当該審査に当たつて関係者である委員の属する合議体での審査を事前に可能な限り避けることに留意して、当該審査を行う合議体を定めるものとする。また、複数の合議体が構成されていない場合においても、事前に病院別に報告を整理する等、審査が円滑に行われるよう、配慮するものとする。

なお、入院時の届出の審査に当たつては直近の合議体で審査を行う等、迅速かつ適切な処理を行うよう留意するものとする。

二　合議体での審査等について

(1)　審査会は、当該審査を行う合議体の委員に対して事前に当該審査資料を送付し、検討を依頼することができる。

(2)　関係者の排除

審査するに当たつては、当該報告の関係者である委員はその審査に関与してはならない。

(3)　意見の聴取

ア　合議体の審査に当たつて必要な場合には、都道府県知事に対し、法第三八条の六の規定に基づく実地審査を行うよう依頼することができる。また、特に必要と認める場合においては、当該病院管理者、当該患者及びその他の者に対し、意見を聴くことができる。

イ　入院が適当でないと判断する場合においては、当該病院管理者の意見を聴かなければならない。

(4)　審査結果の都道府県知事への通知

審査会は、審査終了後速やかに都道府県知事に対して、次に示した内容の結果を通知するものとする。

①　現在の入院形態での入院が適当と認められる。

②　他の入院形態への移行が適当と認められる。

③　入院の継続の必要は認められない。

(5)　資料及び記録の保存

審査の資料及び議事内容の記録については、少なくとも三年間は保存するものとする。

三　**都道府県知事からの病院管理者等への通知**

(1)　現在の入院形態が適当と審査会が判断した場合

病院管理者等に対して、その旨通知するに及ばない。

(2)　他の入院形態への移行が適当と審査会が判断した場合及び入院の継続は必要ないと審査会が判断した場合

都道府県知事は、審査結果に基づき必要な措置を行うとともに、当該患者、保護義務者等及び病院管理者に対し、審査の結果及びこれに基づき採つた措置を通知するものとする。

◆掲載誌一覧◆

Ⅰ　法と精神医療1号（1986年），ジュリスト883号（1987年）

Ⅲ　全国自治体病院協議会雑誌1988年4月号，ジュリスト907号（1988年）

Ⅳ　日本精神病院協会雑誌17巻7号（1988年）

<著者紹介>

平野龍一（ひらの　りゆういち）

1920年　熊本市に生まれる。

1942年　東京大学法学部法律学科卒業。

1957年　東京大学法学部教授。

1981年4月～1985年3月　東京大学総長。

主要著書　刑法総論(1)(2)（有斐閣），刑法概説（東京大学出版会），刑法の基礎（東京大学出版会），刑事訴訟法〔法律学全集〕（有斐閣），刑事訴訟法の基礎理論（日本評論社），刑事法研究(1)～(6)（有斐閣）。

精神医療と法

昭和63年9月30日　初版第1刷発行

著者　平野龍一

発行者　江草忠敬

〔101〕東京都千代田区神田神保町2－17

発行所　株式会社　有斐閣

電話（03）264-1314〔編集〕

265-6811〔営業〕

振替口座　東京6-370番

京都支店〔606〕左京区田中門前町44

印刷・理想社印刷　製本・明泉堂

精神医療と法
新しい精神保健法について（オンデマンド版）

2013年9月15日　発行

著　者　　平野　龍一
発行者　　江草　貞治
発行所　　株式会社 有斐閣
〒101-0051　東京都千代田区神田神保町2-17
TEL　03(3264)1314(編集)　03(3265)6811(営業)
URL　http://www.yuhikaku.co.jp/

印刷・製本　　株式会社 デジタルパブリッシングサービス
URL　http://www.d-pub.co.jp/

AG875

ISBN4-641-91319-6　Printed in Japan